MIURA AYAKO LITERATURE MUSEUM
三浦綾子記念文学館

手から手へ～三浦綾子記念文学館復刊シリーズ①

果て遠き丘　上

三浦綾子

果て遠き丘　上　もくじ

カバーデザイン　齋藤玄輔

春の日

春の日

一

五月も十日に近い日曜の午後。

五分咲きの山桜が、初々しく咲く児童公園の前を過ぎて間もなく、藤戸恵理子は小又川の畔に出た。川といっても、幅一メートルほどの流れで、それでも両岸の間は十メートル余りある。五月の青い空を映して、川はきらめきながら流れている。

この川を隔てた向こうは、一万五千坪ほどの工場地帯で、旭川木工団地と呼ばれている地域だ。家具・建具を製作する工場が十五、六、それに附帯する倉庫、平家よりも高く積まれた乾燥材などの間に、寮や住宅も散在する。

対岸の道路には、トラックや乗用車が幾台となく駐車し、絶えず響く機械のうなりにも、充実した活気がみなぎっている。

が、恵理子の立つ、川一つ隔てたこの道には、いま、車はおろか、人影もない。川に向かって、小ぎれいな住宅の、赤や青の屋根屋根が、途切れ勝ちにひっそりと並んでいるばかりだ。川を境に、静と動の世界がある。それが恵理子の心を惹く。

歩きながら恵理子は、切れ長な黒目勝ちの目を上げて、行く手の畔に立つ数本のイタリヤポプラを見た。道の上に大きく枝を張り出したポプラの新芽が、けぶるように美しい。あのポプラの右手に、恵理子の家があるのだ。

恵理子は土手の端の柔らかいよもぎをちぎって、形のいい鼻に近づける。よもぎの新鮮な、鋭い香りが恵理子は好きだ。恵理子はよもぎを手に持ったまま、ゆっくりと歩いて行く。買物袋の中には、頼まれもののスーツの生地がはいっている。恵理子は洋裁で家計を助けているのだ。

イタリヤポプラの下までくると、恵理子はポプラの幹によりかかって、まだ真っ白い大雪山(だいせつざん)を眺めた。透明な青空の下に、大雪山の雪は新雪のように純白に見えた。街から帰ってくる時々、恵理子はこうして、そのすらりとした肢体をポプラの幹にもたせて、大雪山を眺める。

と、そのとき、恵理子は誰かの視線を感じた。ポプラから離れて、ふと対岸を見ると、タンポポの群れ咲く岸に腰をおろしてじっとこちらを見ている青年があった。十メートル離れたこちらからも、その眉は秀でて見えた。白いワイシャツの姿が清潔な印象を与えた。

青年はギターを膝に抱え、じっと恵理子を凝視していた。恵理子はなぜか、いまだかつてないときめきを覚えた。が、恵理子が視線をそらす前に、青年の視線がそれた。恵理子は、その青年の横顔に目を当ててから、ポプラのそばを離れた。

「茶道教授　藤戸ツネ」と書いた看板のかかっている黒塀の門をはいるとき、恵理子はふり返らずにはいられなかった。再び青年が恵理子を見つめていた。恵理子は思い切って会釈をした。青年が軽く手をあげた。ただそれだけのことだった。が、恵理子の胸は急にふくらんだ。その青年には、いままで誰にも見たことのない何かがあった。それが何であるかを、恵理子は正確に言いあらわすことはできなかった。

　玄関までの、五メートルほどの道の両側に、ピンクの芝桜が咲き、庭のつつじもいまが盛りだ。草一本生えていないのは、母の保子（やすこ）の手入れだ。

　玄関の格子戸をあける前に、恵理子はいつものように、服のちりを手で払い落とす。今朝着替えたばかりの、薄いグリーンのスーツが、恵理子によく似合う。バッグから紙を出し、恵理子は靴を拭く。そして、敷かれてある靴拭いで、靴の底を十分に拭う。万一これを忘れると、たちまち母に、

「汚いわねえ」

　と、言いようもない嫌悪をこめた声音で叱られるのだ。

　静かに戸をあける。鈴がリンリンと澄んだ音を立てた。

　靴は一ミリの隙もないように、きちっと揃えてあがる。いつものことながら、恵理子は、

母と別れた父の橋宮容一の心情がわかるような気がするのだ。

　十二畳の居間に、母の保子はテレビを見ていた。

「ただいま」

　声が聞こえたのか、聞こえないのか、保子はふり返りもしない。淡いみどりの博多帯を、粋に結んだ保子は、横ずわりになっていた。そのふっくらとした腰の肉づきが、四十八の年齢より、四つ五つ若く見せている。保子は軽く口をあけ、まばたきもせずにテレビを見ている。あまり高くも低くもない鼻にも、片手を畳についたその指のひらき具合にも、女らしさが漂っている。

　テレビの中では、若い女性が海べに立って、去って行く男の姿を見つめている。その女性の白い着物の裾が風にゆれ、目には涙がいっぱいにたたえられている。男の足跡は打ち寄せる波にかき消されていく。

「お母さん、ただいま」

「あら、帰ってきたの」

　保子はすっと手を伸ばして、テレビのスイッチを切った。時々保子はこんなことをする。

「なんにもおもしろいものがないわね、日曜は」

たったいま、自分では熱心に見ていながら、保子はいう。その母の気持ちも、恵理子にはわかるような気がするのだ。たぶんこのドラマの中には、娘には知られたくない何かが隠されていたのだろうと、恵理子は察した。

「帰ってきて、うがいをしたの？　手は？」

「まだよ」

「汚いわねえ」

　恵理子は首をすくめながら、洗面所に行った。何をいわれても、今日の恵理子にはあまり気にならない。いましがた自分を見つめていた青年の顔が、恵理子の胸を明るくしているのだ。蛇口をひねって、ていねいに手を洗い、口をすすぎながら、恵理子はまた父のことを思った。

　母が父と別れたのは、父に女ができたからだと聞かされていた。もう十年も前の、恵理子が十三のときだった。ようやく少女になりかけたその頃の恵理子は、少女の潔癖さで、父を許すことができなかった。母につれられて、恵理子は父と妹の香也子（かやこ）と別れた。

が、近ごろは、なぜか時おり父がふと懐かしくなる。母の潔癖は異常で、小さいときから母にしつけられて育った恵理子でさえ、閉口することが幾度もあった。

　母の保子は、朝起きるとすぐに掃除をはじめた。そのときに着た着物を、そっくり着替えなければ食事の用意をしない。台所はいつも、モデルルームのキッチンのように、ぴかぴかに磨き立てられていた。口の悪い従兄(いとこ)の小山田整(おやまだひとし)がいったことがある。

「ぼくはね、この家の台所で、朝晩食事の用意がされているということを、絶対信じないね。この台所はね、恵理ちゃん、まだ一度も使われたことがない台所だよ」

客が帰ったあと、母はその客のさわったとおぼしきもののいっさいの消毒をする。玄関の戸、建具の取っ手、湯のみ茶碗、茶卓、座布団、歩いた畳、いっさいがその対象となる。

いま思うと、外から帰ってきた父が、洗面所で、家中にひびくような音を立ててうがいをしていたのは、自分がいままさしくうがいをしているぞという母への誇示と、やりばのない腹だたしさの表れだったのかもしれない。別れた父は、母とくらべて容貌は劣るが至極おっとりとした女と再婚した。親戚の女たちが、

「こんなきれいな、働き者の奥さんの、どこが悪くて離婚したのだろう」

といっていたのを、恵理子は忘れてはいない。

恵理子は洗面所を出ると、二階の自分の部屋にあがって行った。まだあの青年が川岸にいるかどうかを確かめたかった。部屋の窓に寄ったとき、恵理子は、ハッとした。青年が若い女性と肩を並べて、川の畔を歩いて行くうしろ姿が見えたのだった。

二

同じ日。

橋宮容一は、庭のテーブルでコーヒーを飲みながら、傍の香也子をちらちらと見ていた。別れた妻の保子によく似た香也子の横顔が、今日はひどく不機嫌だ。その不機嫌の原因を測りかねて、容一は再び視線を芝生に戻す。

三百坪ほどの広い庭は、なだらかに傾斜しつつ、沢の端に至っている。築山が前庭にあり、家のうしろは、香也子の、

「ゴルフ場のような庭にしたいの」

とねがったとおりに、広々とした芝生にした。香也子はここにプールもほしいという。今年は、そのプールも造ってやろうと、容一は考えている。生みの母と別れ、姉の恵理子と別れた香也子が、容一には何かふびんでならないのだ。

沢を隔てた向かいの山が、日一日と鮮やかな芽吹きを見せてきている。萌黄色の山に白いこぶしや桜の花が咲いているのも美しい。ここ高砂台（たかさごだい）の丘の上は、しゃれたたたずまいの家が散在し、ところどころに落葉松（からまつ）や柏林が残っていて、別荘地のような趣がある。そ

の中で、橋宮容一の家だけは、五百坪近い敷地を高いブロック塀でぐるりと囲い、近代的な豪奢な邸宅の構えを見せている。

　正門は重々しい鉄柵の門扉に閉ざされ、人が近づくと、鎖につながれたシェパードのトニーが噛みつかんばかりに激しく吠え立てる。

「高い塀だねえ。俺はまた、刑務所かと思ったよ」

　恵理子の家にも、この家にも始終現れる、例の口のわるい小山田整がいって、香也子に叱られたことがある。

「どうした。コーヒーを飲まないのかい」

　むっつりと黙りこくっている香也子に、たまりかねて容一がいう。

「飲むわ」

　いままでむっつりとしていた香也子が、不意にニコッと口もとにえくぼを見せる。何だ、怒っていたのではなかったのかと思ったほどに、香也子は突如として気分が変わる。

「何を考えていたんだ」

　ほっとして容一は、タバコに火をつける。

「なんでもないわ。でも、とてもすてきなことよ」

「すてきなこと？　香也子がすてきなことを考えるときに、ふくれっ面になるとは、知らなかったな」

「冗談めかして容一は笑う。びんのあたりに白髪の目だってきた容一は、笑うとまなじりに、二、三本のしわがより、それがひどく容一を柔和に見せた。道北(どうほく)に手広く取引先を持つ、大きな建材会社の社長とは見えない。

そこに、妻の扶代(ふよ)と章子(あきこ)がテラスから出てきた。章子は、後妻の扶代のつれ子で香也子より二つ年上の二十二だ。

扶代は目鼻だちのパラッとした、おっとりとした女だ。それに反して章子は、伏し目勝ちな、ひっそりとした性格である。顔だちもどことなく淋しく、その唇が描いたように形がよくぬれていなければ、若い女の子らしさがないほど地味で目だたない。それがふしぎなことに、香也子のように表情の豊かな、いきいきとした女性のそばにくると、章子の輪郭がはっきりしてくる。章子の個性が生きてくるのだ。

香也子は二人を見ると、ついと顔をそむけた。

「ねえ、あなた、どうかしら。この章子の着物?」

章子は更紗模様のモダンな柄の着物を着ている。

「おお、なかなか似合うじゃないか。今日はおめかししたな」

容一がニヤッと笑う。章子のボーイフレンドの金井政夫(かないまさお)を、今日ははじめてわが家に呼んだのだ。金井政夫は自分で英語塾をひらき、百人ほどの塾生がいるという。章子はその塾に去年から通っていて、金井との交際がはじまったらしい。

義父の容一にニヤリと笑われて、章子は耳まで真っ赤にした。向かいの山を眺めていた香也子がふり返っていった。

「ほんとにお似合いよ、章子さん」

口に嘲笑がうかんでいる。香也子は扶代を母と呼ばず、章子を姉と呼ばない。小母さんと呼び、章子さんと呼ぶ。

「ありがと」

章子がはにかむ。

「馬子にも衣装って、ほんとうね、お父さん」

わざと香也子は無邪気にいう。

「香也子、馬子にも衣装とはね、本来は、大したことはないが、着物で引き立っている場合に使う言葉だよ」

とりなすようにいう容一に、

「そうよ、わかってるわ」

「わかっちゃいないよ。それは面と向かって人にいう言葉じゃない。自分のことをいうか、あるいは陰でいう言葉さ」

「ああ、じゃ陰でいうわ」

香也子は椅子ごと、ぐいと扶代と章子のほうを向いた。

「ひどいわ、小母さんも章子さんも」

「あら、何のこと？　香也ちゃん」

扶代は驚いて香也子を見る。

「だってそうじゃない。同じ屋根の下に、わたしだって住んでるのよ。それなのに、いままで一度だって、彼氏ができたなんて、わたしに教えてくれたことないわ。そして、今日急に、この家につれてきますなんていわれたって……」

ぽんと容一がズボンの膝を叩いた。

「なあるほど。それで機嫌が悪かったんだね、香也子は」

「そうよ、わが子の機嫌のわるいのが何の原因かわからないなんて、お父さんも鈍感ね」

つんとする香也子に、容一はいった。

「鈍感で申しわけない。なるほど、なるほど」

容一は、扶代からそれとなく金井政夫のことは聞かされていた。だから今日の金井の来訪は、容一にとってごく自然なことだった。

「ごめんなさい、香也ちゃん」

章子はうつむいたまま、

「でも、まだおつきあいしてるっていうだけで……お知らせするほどの間柄じゃないんですもの。昨日、お父さんとお母さんに紹介してほしいっていわれて、わたしだってびっくりしたくらいなんだもの」

「あら、そう。まだ恋人ってわけじゃないの。そうなの」

不意に香也子は笑いだし、

「金井さんて、どんな方かしら。わたしにも紹介してね」

と、甘えるように、章子と扶代を見た。

「もちろんよ」

章子はうなずいた。

「ごめんなさいね、章子さん。馬子にも衣装だなんて。わたし、ちょっと怒ってたもんだから。ほんとはよく似合うわよ」

香也子は愛らしく首を傾けて見せる。ひどく素直な表情だ。

「あの、あと二十分ぐらいしたら、おみえになる筈ですけれど」

扶代が容一にいう。

「着替えか？　このままでいいだろう」

「でも、ズボンがちょっと汚れてますわ。じゃ香也ちゃんも会ってくださいね」

　扶代は何のこだわりもない笑顔を見せて、容一や章子と家にはいって行った。それを見送りながら、香也子は呟いた。

「やっぱり、馬子にも衣装よ」

　香也子は自分の着ているクリーム色のワンピースを眺め、この色が自分にいちばん似合うと思った。あと二十分後に章子の恋人がくる。英語塾には、若い女性も何人かは通っている筈なのに、章子という目立たぬ女性を選んだ金井という青年に、香也子は興味を持った。

「ご機嫌いかがですかな、香也子嬢」

　不意に従兄の小山田整の声がした。

「つまんないわよ」

　香也子は少しも驚かない表情で、ゆっくりとふり返った。

「君が、つまんないと退屈してる間も、この地上では、一分間にどれほどのできごとが起こっているか、知っているかね」

　体格のいい整は、ピンクと白の縞のワイシャツの袖をたくしあげて、逞しい腕をむき出しにしている。

「またはじまった、整さんったら」

整は突如として現れ、突如として妙なことをいいだす。

「いいかい、香也子。この一分間にだよ、流れ星が、実に六千個も地球に落ちてきているんだ」

どうだ、驚いたろう、といわんばかりの顔に、

「まあ！　六千個も」

香也子は驚いて目を見張る。かわいい童女の顔になっている。

鳶（とび）が、頭上でのどかに啼（な）きながら、すべるように沢のほうに降りて行った。

三

鳶の啼く声に、小山田整が空を見あげていった。

「鳶の舞うときは、天気が変わるんだってさ」

五月の陽に、庭の芝生が輝いている。

「整さんは、物知りね。一分間に六千も流星が地上に降るとか、鳶が啼いたら何とやらとか」

香也子が整の目をのぞきこむように、いたずらっぽく笑う。

「それほどでもないけれどね」

「つまり、整さんは退屈してるってことね。恋人がないってことね」

「こいつ」

整が殴る真似をし、香也子が椅子を立って逃げる真似をした。芝生に香也子の影が動く。

「香也子にだって、恋人はいないじゃないか。章子ちゃんには、もうできたっていうのに」

「……」

今度は香也子が殴る真似をし、整が逃げる真似をする。お手伝いの絹子(きぬこ)が、コーヒーを持ってテラスから芝生に降りてきた。

「やあ、ありがとう。いま、台所に飲みに行こうと思ったところだよ」

車のセールスマンである小山田整は如才がない。

「お客さまはまだ？」

香也子が尋ねる。

「あのう、二十分ほど遅れるって、電話がありました」

絹子は、さっき香也子の父が飲んだコーヒーカップを盆の上にのせながらいう。

「まあ、二十分も遅れるって？」

細い眉がきゅっとあがる。

絹子が去ってから、整がいった。

「章子ちゃんの恋人だろう、くるのは？　遅れようと早くなろうと、香也ちゃんには関係ないだろう」

「整さんはのんき坊主ね。すべての男性は、わたしの恋人になり得る可能性があるのよ」

「まあ、そりゃそうだ。ただし、ぼくを除いてだろう」

「あら、わからないわ。わたしだって、整さんを好きになる可能性はあるし、整さんだって
……」

「ぼくのほうは、香也ちゃんを恋人にする心配はないね」

「まあ、失礼。わたしってそんなに魅力がない？」

「大ありだよ。もっとも、君の姉さんの恵理ちゃんよりは落ちるがね」

　整は健康な口にコーヒーカップを当てて、うまそうにコーヒーを飲んだ。

「まあ？　恵理子姉さんって、そんなに魅力的？」

「だろうな。理知的で、やさしくてきれいで……」

「もういいわ」

「怒ることはないだろう。君の姉さんのことをほめてるんだよ」

「整さん、すべての女性は、わたしのライバルに変わり得るのよ」

　きっとして、香也子がいった。

「なあるほど。大変なファイトだ」

　ニヤッと笑った整に、

「わたし、十（とお）ぐらいのときのお姉さんしか知らないのよ。本当に整さんのいうとおり、素敵な女性かしら」

「君って忙しい人だな。すべての男性は恋人に変わり得るし、すべての女性はライバルに変わり得る。それじゃ、心の休まるときがないだろう」

「いいえ、そう思うから、わたしには人生が楽しいの」

香也子は不意に子供っぽく笑って見せた。

「ああ、ああ、いつきてもいい丘だなあ、ここは。こぶしほころび、桜咲きか……」

整はコーヒーカップを置き、大きく腕を伸ばした。

「整さんは、始終恵理子姉さんの家に行くの」

小山田整は、昨年東京の本社から旭川の支店に転任してきた。まだ独身の整は市内に下宿しながら、仕事の暇々に、この家に現れるのだ。整は橋宮容一の姉の子である。

「いや、そうは行けないさ。何せ、ぼくは叔父さんの甥だろう。いくら昔叔母さんにかわいがられたってさ、二人が別れてしまったんじゃあね。ぼくは、いってみれば敵方の陣営ということになるからな」

「でも、月に一度は行くんでしょ」

「うん、二度行くこともある。あそこの婆さんが傑作でね」

「おばあちゃんは、お茶の先生でしょ」

「旭川では、偉いお茶の先生だってね、あのおばあちゃん。しかし、気さくないいおばあちゃんだよ。自分の机の上に、長谷川一夫の覆面のブロマイドを飾ったりしてさ。死んだじいさんの仏壇になんか、ここ何年も手を合わせないって話だよ」

「あら、どうして?」

「じいさんの女遊びに、ひどい苦労をさせられたからだってさ。死んだって恨みは消えないんだそうだ。死んだじいさんのほうで、仏壇の中からあたしを拝めなんてさ、元気がいいよ、あのおばあちゃんは」

「…………」

香也子は向かいの山を眺めながら何か考えているふうだった。

「今度、香也ちゃんをつれてってやろうか」

香也子は鋭く整を見、

「冗談じゃないわ。わたしを置きざりにして行ったお母さんなんか、まっぴらよ」

切りつけるような語調だった。

「なあるほど、そういうご心境ですか。ま、無理もないな」

何かいおうとしたが、整はそういった。

「あら、もう章子さんの彼氏、みえる頃じゃないかしら」

そわそわと、香也子は立ちあがり、

「整さんも行ってみない?」

と、さっさとテラスのほうに歩いて行く。

整は腕を組んで、香也子のしなやかなうしろ姿を見送った。

「誰に似たんだろう」

整は呟いた。橋宮容一、保子、恵理子、祖母のツネ、その誰にも香也子の性格は似ていないような気がした。夫の女道楽に苦労したツネは、容一に女ができたとき、保子にいった。

「亭主の浮気に我慢することはないよ。さっさと帰っておいで」

亡き夫の建てた家を売り、豊岡町にあの日本風の家を建てたツネは、七十近いとはいえ、生活力のある女だ。そのツネのどこかに香也子は似ているといえば似ている気がする。

整は立ちあがった。不意に恵理子に会いたくなったのだ。

四

二十畳の応接間に、いま、橋宮容一と、その妻扶代、そして娘の章子が、英語塾を経営する金井政夫と談笑している。窓から前庭の築山が見える。ひとかかえもある見事なアララギ、紫のエゾツツジ、真っ白な雪柳などが、きれいに磨かれた大きな一枚ガラスの窓のすぐ向こうに見えている。

右手の飾り棚には志野焼の壺、加藤顕清（けんせい）の女の胸像、イタリヤの大理石の花瓶などが、何の脈絡もなく、しかしひとつのまとまったふんいきの中に飾られている。

足もとには、ペルシャ製のバラ色の厚いジュータンが敷きつめられてあった。金井政夫は、運動ならスキーでも、野球でも、ホッケーでもやるといった感じの、スポーツ青年に見えた。胸幅が広い。歯が白い。眉が濃い。それらが与える印象だったかもしれない。

「何か選手をしていましたか」

容一が聞いたとき、金井政夫は頭をかいて、

「いや、それが……運動神経が鈍くて……卓球を少しやるぐらいです」

と素直にいった。そのいい方がスポーツ万能であるより、ずっとさわやかな印象を容一

や扶代に与えた。

「卓球ができれば、立派なもんですよ。わたしは自転車にも乗れない」

　容一は笑った。運動神経の鈍いことが、二人に親近感を与えたようだった。

「人は見かけによらないものですわね」

　扶代はのんびりと笑い、

「ね、金井さん、橋宮は小児科医のようだって、ときどきいわれますのよ。そう見えまして?」

「なるほど、ぼくもそう思ったところです」

　金井の語調は、世辞には聞こえなかった。章子はやさしく微笑した。

「医者に見えるなんて君……わたしは不器用で注射なんか打てないよ。それに、ぎゃあぎゃあ泣く赤ん坊なんて、お手あげだよ」

　ひとしきり雑談のつづいたあと、言葉が途絶えた。容一が、小浜亀角（こはまきかく）の大雪山（だいせつざん）の絵に目をやり、扶代と章子は花瓶のチューリップに目をやった。金井は何かいいたげだった。金井がひときわ緊張した表情になり、両膝に手をおいた。容一も扶代も章子も、その金井に目をやった。

「あの、実はぼく、章子さんとおつきあいを……結婚を前提としてのおつきあいをおねがいしたいと思って……」

いい終わらぬうちに、ドアをノックしてはいってきたのは、香也子だった。香也子は銀盆の上にフルーツポンチを運んできたのだ。

「いらっしゃいませ」

香也子の口もとにかわいい笑くぼができた。金井は黙って頭をさげた。はいってきたのはここの家の娘なのか、お手伝いなのか、確かめる心のゆとりもなかった。せっかくの話の腰を折られたのだ。金井はじっと自分の膝頭を見ている。

章子は立ちあがって、

「あ、香也ちゃん、すみません」

と、盆を受けとろうとした。

「いいわよ。わたしがするわ」

香也子は、自分を見ようともしない金井を見ながら、少し切口上にいった。

その様子に容一はあわてて、

「ああ、金井君、これはわしの娘の香也子です。香也子、金井君だよ」

「は、金井です」

香也子と聞いて、金井はあわてて立ちあがった。香也子を見た金井の顔に微笑が浮かんだ。香也子の表情が、ひどく子供っぽく見えたのだ。

「わたし、香也子です。よろしく」

香也子は、父の容一のすぐ傍(かたわら)に腰をおろして、

「お父さん、わたし、金井さんにどこかでお会いしたような気がするの。どこだったかしら」

と、頭をかしげた。

「そうですか。ぼくはあなたには、全くはじめてお会いしますが」

金井はちょっととまどったように香也子から章子に視線を移した。

「そりゃそうよ。現実にお会いしたのは、はじめてですもの。でも、わたし、あなたにお会いしたことがあるわ。何かの小説の中よ。あなたのような、素敵な男性がいたわ。ジイドだったかしら、モリアックだったかしら」

そのいい方が、いかにも文学好きの少女のように見えた。金井は微笑した。

「あなたはフランス文学がお好きなんですか」

「ええ、そうよ。金井さんは?」

香也子は再び首を傾けた。それはこの席がどんな席かもわからぬ幼児のようにあどけなく見えた。

金井はいま、思いきって橋宮容一に、章子との交際を求めたばかりなのだ。香也子がはいってきたため、容一の答えをまだ聞いていない。落ちつかぬ思いのまま、金井はこの愛らし

い闖入者(ちんにゅうしゃ)の相手をしなければならないのだ。金井はちょっと苦笑して、

「ぼくは、文学にはうといんです」

　そう答えたほうが、香也子に対して無難なように思ったのだ。章子は帯締めに手をやりながら、香也子の横顔に、幾度も目をやった。香也子はその場に流れるちぐはぐな感じを最初から読みとっていた。

「ね、お父さん。で、もう決まってしまったの」

「決まった？　何がだね」

「だって金井さんは、章子さんをいただきたいとか、何とかおっしゃったんでしょう？」

「ああ、そのことか」

　容一が苦笑し、みんなも何となく笑った。

「そう、おきまりになったの、よかったわね。金井さん、章子さんって、とてもいい人よ。こんないい人って、旭川中探したっていないと思うわ」

　誰が聞いても、善意にあふれたいい方だった。章子はうつむき、金井は頭をかいた。そして、容一がいった。

「こりゃ、香也子が月下氷人(げっかひょうじん)のようなもんじゃないか。ま、金井君、とにかくそのつもりで……結婚を前提にしての交際を、よろしくおねがいするよ」

「は、ありがとうございます」

金井は立ちあがって、深々と礼をした。香也子がいった。

「あら、婚約じゃないの？　まだ結婚するかどうか、わからないの」

驚いたように、香也子はいった。その声に、二人の結婚を心から望んでいるような、愛らしさがあふれていた。

香也子は、ぱっと立ちあがった。そしていった。

「金井さん、わたし、あなたみたいなお兄さんができるの、うれしいわ。だって、わたしにはお兄さんがいないんですもの。思いっきり甘えてもいい？」

「はあ」

金井はそれが癖らしく、また頭をかいた。金井は、こんな少女を手際よく扱えるほど、女にすれてはいないようだった。香也子はうれしそうに、応接間を出て行った。

「どうも、突拍子もない子でねえ。驚いたでしょう、金井君」

容一は大島のたもとからタバコを取り出しながらいった。

「いえ、はきはきしていて、気持ちがいいです」

「ほんとに香也子は、はきはきしてますのよ」

のんびりした口調で扶代がいった。それは香也子を肯定している語調だった。章子はちらりと不満そうに母を見た。

（金井さんは、はきはきしている人が好きなのかしら）

章子は再び帯のあたりに手をやった。きものを着なれない章子は、胸のあたりが苦しかった。帯に手をやる仕種がひどく初々しく見えた。その章子の気持ちを代弁するように容一がいった。

「しかし、金井君は、はきはきした子より、章子のような物静かな女のほうが、好みじゃないのかね」

さきほど初めて会ったときより、ずっと親しみ深い語調になっていた。と同時に、年かさらしいいい方にもなっていた。

「はあ……あの……章子さんは別格です」

金井も、章子から家庭の事情は聞いている。容一の実子である香也子と、扶代のつれ子である章子との、微妙なつながりを知っている。物静かなほうが好きだといえば、容一としてはあまりいい気持ちにはなれないだろう。

「別格はよかった。そういう気持ちでないと、一生の伴侶を決められるものではないからね。ま、よろしく頼むよ」

容一は立ちあがり、

「ま、この後は君たち二人で……な、扶代」

「ほんとうに、ごゆっくりなさって、夕食でも食べていらしてね」

ドアに手をかけた容一がふり返って、

「ああ、近頃の若い人たちは、婚前交渉とか、同棲とか、いささかハッスルしすぎるようだがね。それだけは、式を挙げるまでお預けにしてほしいもんだね」

金井は立ちあがって不動の姿勢をした。

「は、あの……」

答えぬうちに、容一も扶代もドアの外に出ていた。

二人は顔を見合わせて、椅子に腰をおろした。

「これで第一関門はパスしたようだね」

金井は少し股をひらいた。ほっとした表情と声音に、どこか微妙な変化があった。

「香也ちゃんなんか、飛びこんで……」

章子はすっきりしない気持ちだった。

「意外と、チャーミングな子じゃないの。それにあの子は、天性コケティッシュなところがあるよ」

「いやだわ」

「しかし、かわいいよ。君から聞いていた印象では、もっとメリシャス（意地悪）なようだったけれど、すごく善意じゃないか」

　金井は冷たくなったコーヒーに砂糖をいれてがぶがぶと飲んだ。

「善意かしら？」

　章子の表情はかげっていた。

五

助手台に乗っていた祖母のツネが、うしろの保子と恵理子をふり返っていった。

「ほうらごらん、桜がまだあんなにきれいじゃないか。よかったねえ」

ツネは、いつも助手台に乗る。景色がよく見えるからだそうだ。

「まあ、ほんとね。よかったわねえ」

恵理子は少し乗り出すようにして前方を見た。彼方の旭山（あさひやま）が、全山桜色に盛りあがっている。

今日はツネの主催する野点（のだて）の会があるのだ。この二、三日ぐんと暖かい日がつづいて、今日あたりは桜が散ってしまうのではないかと、ツネはやきもきしていたのだ。

「よかったよ、ほんとに。あんなに山があかいんだもの」

ツネは満足したように、一人でうなずいている。

旭山は、恵理子たちの家から車で二十分ほどのところにある美しい小山である。旭川近郊の桜の名所で、時季には、一山これ桜となる。四、五キロ離れたところから見ても、驚くほどの見事さだ。その左手の斜面に、白い建物が散在するのは旭山動物園である。

「混むかねえ、この天気だと」

　ツネの言葉に、いままで気の進まぬ表情でシートに身を埋めていた保子が、

「いやだわ、混んでいたら。埃っぽくて」

　と、眉をひそめた。恵理子が、

「大丈夫よ、お母さん。今日は木曜日ですもの。それに、もう三時になるでしょう」

　と保子を見た。二人ともつけさげを着て、車の中が華やいでいる。

「また保子の病気がはじまった」

　ツネは気にもとめず、さばさばといった。

　車は次第に旭山に近づく。恵理子は思うともなく、またあの青年を思っていた。名前は知らない。青年は突如として恵理子の前に現れたのだ。最初は日曜日だった。恵理子がイタリヤポプラの幹によりかかって、大雪山を見つめていたとき、誰かの視線を強く感じてふり返った。そのとき青年は、川向こうのタンポポの中に、ギターを抱いてすわっていた。

　その翌日のことだった。保子にいわれて、恵理子はゴミを焼きに外に出た。ポプラから少し離れたところに、小さな焼却炉がある。癇性な保子は雑巾を使わない。ペーパーふきんで、畳でも窓の桟でも拭く。そしてその都度使い捨てにしてしまう。雑巾にさわると、手が汚れていやだと保子はいうのだ。毎日のように、玄関や襖の引き手も拭く。見る間にペー

パーふきんは山となる。それを焼くのが恵理子の役目なのだ。乾くまで二、三日分をためておく。

そのときも、恵理子は焼却炉にゴミを捨て、いつものようにマッチで火をつけた。レモン色の炎を見つめながら、恵理子は母の保子が哀れになっていた。あの病的な潔癖さがなければ、母の人生はもっと平穏であったろうと思う。恵理子も、父や妹と別れずに、平和な毎日を送れただろうと思う。保子は潔癖なわりに、ギスギスしてはいない。ふだんは静かなものいいをするやさしい母なのだ。料理も上手だ。

炎を見つめながら、恵理子はそのとき、そんなことを思っていた。と、ふと向こう岸を見ると、そこに再びあの青年を見た。一時近かった。青年は前の日のように、恵理子を見つめていた。恐らく恵理子の気づく以前から、ずっと見つめつづけていたにちがいない。そんなまなざしだった。

青年は微笑して、軽く頭をさげた。恵理子も会釈したが、すぐに視線をはずした。前日、青年が若い女性と、肩を並べて歩いて行く姿を見たからだ。

恵理子は焼却炉のそばを離れたかったが、燃えつきるまでそばについているように、常々保子からいわれている。恵理子はぎこちなく焼却炉を見つめていた。煙が青くなびいて、川向こうの青年のほうに流れて行く。恵理子はかたくなに、青年のほうを見ようとしなかった。あの若い女性のうしろ姿が、恵理子をかたくなにしていた。紙屑が燃え終わるまで、青年に背を向けて、恵理子は立っていた。青年はギターを弾いていた。フォークソングのようだった。恵理子の知らない歌だった。紙屑が燃えつきたとき、恵理子は青年のほうを見、頭をさげた。青年は片手をあげた。昨日と同じだった。

駆けこむように家にはいってから、恵理子は自分の感情の動きにふっと笑い出したくなった。昨日までは見も知らなかった青年に、ガールフレンドがいようがいまいが、自分には関わりのないことではないか。すねたように青年に背を向けていた自分が、ひどくこっけいに思われた。

（言葉をかわしたこともないのに）

その次の日も、同じ時刻、向こう岸に青年を見た。が、それは二階の恵理子の部屋からだった。そして昨日の水曜日にまた恵理子は、青年を見かけたのだった。青年は、昼休みに、あの川岸でギターを楽しんでいるようだった。

（どうして同じところに……）

恵理子は、青年が自分に会うのを期待して、恵理子の家のすぐ向こうに現れるような気がした。そう考えることはうぬぼれのような気もした。会うのを期待しているのは、自分のほうかもしれないと、すぐに恵理子は思い返してみた。

「見事だねえ。恵理子」

ツネがいった。その声にハッとわれに返って、恵理子は車の外を見た。旭山から帰る車が数珠つなぎになっていた。車はもう、旭山の麓にきていた。警官が鋭く笛を鳴らしながら、人と車をさばいていた。恵理子たちの車は、麓の橋の上でしばらく待たされ、やがてのろのろと山に登って行った。あでやかな濃い桜が、山の斜面にいっぱいに咲き匂っている。

「まあ、きれい!」

思わず恵理子は声をあげた。

「毎年見ていても、この山の桜はきれいだねえ」

上機嫌にツネはいう。ござをかついだり、重箱をぶらさげたりした人々が山をぞろぞろ登り降りしている。車はようやく駐車場に着いた。露店がずらりとあたりに並び、錦飴や、お面、いか焼き、バナナなどを売っている。三人は、ひときわ濃い桜の大樹の下に降り立った。迎えに出ていたツネの弟子たちが、二、三人、すぐに寄ってきた。

六

香也子が先に立ち、橋宮容一と妻の扶代、そしてその娘の章子があとにつづく。桜の下の草原を、爪先立ちに登りながら、ときどき立ちどまる。濃淡さまざまの桜の色が、うすぐもりの空の下に、しっとりとあでやかだ。

「大変な人ねえ」

扶代が楽しげにいった。

「これでもだいぶ帰ったんだろう。もう四時過ぎだからねえ」

容一が章子をふり返る。青いスーツを着た章子は、屈んで草原に群れ咲く白い小さなふくべらの花を摘んでいる。容一は、めだたぬ可憐なふくべらが章子のようだと思った。紫のすみれも、ふくべらにまじって咲いていた。

「あなた、よかったわ、香也ちゃんに誘われて。旭川にこんなきれいなところがあるとは、知りませんでしたよ」

「きれいでしょう。お父さんったら、高砂台にいれば、どこも見る必要がないなんて、威張っていたけれど……」

白いワンピースを着た香也子が、ひどく機嫌がいい。

今日になって、突然香也子は、容一に花見につれて行ってほしいとねだったのだ。容一は仕事があるから、といったんは断ったが、あまりに執拗にねだられて、いたし方なく仕事を早めに終えて出てきたのだ。

ジンギスカン鍋をつついている者、輪になって歌をうたっている者、桜の花の下には、何十組とも知れぬ人の群があった。

「桜の中のこぶしがきれいね」

ふくべらの花を手に、章子が木々を見あげた。

「桂の新芽もきれいよ」

「先月、東京で見た桜とは、だいぶちがうな。あっちの桜は白くてね。桜色が少ないんだよ」

「あら、白いの、お父さん。じゃ、こぶしみたいじゃない」

香也子はいいながら、目で何かを探していた。幾折れもの道が木立をぬって頂上へとつづいている。が、香也子たちは、急勾配の草原を登って行く。と、山の中腹に何百坪かの平地があった。そこにはひときわ鮮やかな桜が幾本も立ち並び、顕彰碑や、あずまやがあった。あずまやにつづいて、二、三軒出店が立ち、左手山際寄りに、古く小さな神社があった。

「まあ、すてき!」

崖ぶちのあずまやにはいった香也子が叫んだ。

いきなり眼下から、上川(かみかわ)盆地が開けていた。水のはいった田の面が、鏡をはめこんだようだ。その無数の鏡が、遠く北に及び、点在する赤や青の農家の屋根が美しい。

西に広がる旭川は、数えるほどしかビルのない平たい街だ。その街の北寄りに、パルプ工場の吐き出す煙が、白くまっすぐに立ちのぼっている。もくもくと吐き出されているはずの煙が、絵に描いたように静止している。

「ね、あなた、高砂台はあのあたりかしら」

扶代の指さす彼方に、旭川の街と田園をぐるりと囲むなだらかな丘が、やわらかくかすんでいる。

「いや、もっと右手だろう」

容一は腕を組んで目を細めた。小児科医と見られるやさしい表情である。

神社のほうに、何かを囲んで人々が群れていた。その群れの中に和服姿の若い娘たちが二十人ほどいる。

「行って見ましょうよ、お父さん」

香也子が容一の手をひいた。

「きれいな娘がたくさんいるようだな」

容一はニヤニヤしながら扶代をふり返った。

「いやですよ」

やさしく笑って、扶代も後について行く。

神社の下の大きな桜の木の下に、赤い毛氈（もうせん）が敷かれ、野点（のだて）が催されていた。桜の幹に「薫風」と墨書された短冊が貼られ、クリーム色の地にみどりの葉を散らしたつけさげを着た娘が、うしろ向きに茶をたてている姿が見えた。

「お茶よ、お父さん」

しっかりと容一の手をとったまま、香也子は人をかきわけるようにして、毛氈に近づく。

香也子は今朝、新聞をひらき、そこに、五、六行の小さな記事を見て胸をとどろかせた。それは、藤戸ツネが旭山において野点の会をするという記事だった。藤戸ツネは、香也子の母の母だ。つまり、香也子にとって祖母である。その茶会には、恐らく母の保子も、娘の恵理子もきているにちがいない。香也子は、今日が恵理子に会う機会だと思った。香也子は、保子よりも、姉の恵理子を見たかったのだ。

それは、数日前、従兄の小山田整から、恵理子のうわさを聞いていたからだ。整は恵理子を、

「理知的で、やさしくてきれいで……」

とほめた。それを聞いたとき、懐かしさよりも、激しい嫉妬を感じた。同じ父と母の子

でありながら、姉のほうが優れていることが、香也子にはゆるせなかった。香也子にとって、母は自分を置きざりにして行った冷たい女だった。その母とともに住む恵理子は、同じくゆるし難い存在だった。しかも、小山田整が、恵理子と香也子を比較して、恵理子をほめたことが癇にさわった。

(どんなになったか、見てやろう)

新聞記事を見て、香也子は咄嗟にそう決意した。

恵理子と別れたのは、香也子が十歳のときだった。恵理子は十三になっていた。中学一年だった。香也子の思い出の中にある恵理子は、とりたてて非難のしようのない姉だった。香也子に帽子を編んでくれたことがある。勉強をみてくれたことがある。スキーにもつれて行ってくれた。一緒にままごと遊びもした。それでいて香也子は、いつも恵理子を不満に思っていた。それは、恵理子が姉であり、自分が妹であるという事実だった。

恵理子の着ふるしを、香也子はよく着せられた。

「恵理子は、物を大事にするので助かるわ」

そういいながら、母の保子が香也子にセーターを着せてくれたことがあった。そのとき香也子は、そんなことをいう母の保子と、物を大事にする恵理子を、ひどく憎んだ。橋宮の家は、恵理子と香也子の二人だけのきょうだいである。香也子に恵理子のお下がりを着せなければならぬ経済状態ではなかった。が、保子は、さして古くもならないセーターやスカートを、香也子に着せることを当然のことと思っていた。正月や祭り以外には、香也子に新しいものを買うことはなかった。

中学に入学するとき、恵理子はセーラー服をつくってもらった。

香也子は、その入学式当日の朝のことを、はっきりと覚えている。セーラー服を着た恵理子が、

「お母さん！」

と悲鳴をあげた。駆けつけた保子が、ひだにしたがって切られたそのスカートを見て、

「香也子！」

と、香也子を睨んだ。

「なあに」

香也子はスカートを見て、

「まあひどい。どうしたの、そのスカート」

と白ばくれた。が、そのとき、保子と恵理子が自分を見た眼の冷たさは、いまも香也子の胸にはっきりと刻み込まれている。自分が悪かったとしても、あの眼の冷たさは、香也子にとっては、ひど過ぎる刑罰に思われた。

香也子の、継母を母と呼ばず、そのつれ子の章子を姉と呼ばぬ心情は、単なる継母や義姉への抵抗だけではなかった。母という言葉、姉という言葉によって、保子や恵理子を思い出すことが不快だったのだ。

容一の手をしっかりと握ったまま、緋の毛氈に茶を点てている恵理子を、香也子はぎらぎらした目で見つめた。

「お父さん、あのお点前をしている人……」

父の体がぴくっと動いたのを、香也子は手に感じとった。それまで容一は、茶を飲んでいる客たちをぼんやりと眺めていた。盛りあがるような膝をむき出しにしたミニスカートの娘や、長髪の若者が、かしこまってすわっているのが容一にはおもしろかったのだ。香也子にいわれて、容一ははじめて恵理子に気づいた。恵理子の顔が、容一の場所から斜めに見えた。

容一は、恵理子の高校の卒業式に扶代にかくれて出席した。そのとき、僅か二、三分だったが、容一は恵理子と言葉をかわした。真珠の首飾りを恵理子に渡しながら、容一は、

「お父さんに用事があるときは、いつでも会社に電話しなさい」

といった。恵理子はうれしそうにうなずいて、傍の保子をふり返った。そのときの恵理子の素直な態度を見て、容一は父親らしい喜びを感じた。が、恵理子から容一に電話がかかっ

てきたことはなかった。

　あの時よりいちだんと娘らしくなった恵理子が、顔をうつむけて茶を点てている。緋の毛氈が顔に映って、恵理子の顔は幾分バラ色になっていた。

「帰ろう」

　あわてて容一は香也子の手をひいた。気づくと、ツネも保子も赤いふくさを帯じめにはさんで、弟子らしい娘たちと談笑している。こちらは扶代と章子をつれている。

（とんだ鉢合わせだ）

　何も扶代と章子を、保子に見せつけることはないのだ。が、香也子はいった。

「わたし、お茶をいただきたいの」

「香也子！」

　容一はあわてた。香也子は父の手をふり払って、ふくさをつけている和服姿の中年の女にいった。

「あの、わたしもお席にすわらせていただいても、いいでしょうか」

「どうぞ、どうぞ。もうこの方たちがお立ちになりますから、こちらでお待ちくださいませ」

　香也子の前に、青年が一人立っていた。背の高い青年だった。青年が微笑を浮かべて、恵理子のほうを見つめていた。香也子は父のほうをふり返った。父は扶代と章子の手を引っ張るようにして、群から離れて行くところだった。

「お父さん」

香也子は無邪気に呼んだ。

七

扶代と章子の手を引いて、あわてて逃げ出す容一を、

「お父さん！」

と呼んだ香也子の声は、かん高かった。

野点の席を囲んで、ひそやかに言葉をかわしている人たちにとって、それは異様なほどだった。みんなの視線が香也子に注がれた。桜の木陰に控えていたツネも、保子も、腰を浮かして声の主を見た。途端に、保子の顔がさっとこわばった。ひと目で、保子はそれがわが子の香也子であることを知ったのだ。

「香也子よ！」

保子は母のツネにささやいた。人々の注視を受けても、香也子は平然としている。

「香也子？」

「そうよ」

保子は母のツネに、体をもたせかけるようにした。

「ここを、わたしの席と知ってきたのかねえ」

「わからないわ」

　保子は低く呟いた。

　人々の視線は、再び茶席に戻っている。最後の客が、馴れぬ手つきで茶碗を口に持って行く。釜の前に坐っている恵理子も、いまのかん高い声を聞いていた。恵理子はいま亭主をつとめている。が、ふり返ってそのほうを見ることはしなかった。時にそんな不作法な見物客も野点の席にはくる。

　半東の弟子が水差しを運んできた。席の人たちが入れ替わった。順序としていちばん初めに席にはいったのは、香也子の前にいた長身の青年だった。香也子は次につづいた。

　八歳の頃から、母が家を出て行くまでの二年ほど、香也子は祖母のツネに茶を習ったことがある。が、長じては、茶道にも華道にも興味がなくなり、まともに香也子が習ったのは、ピアノだけだった。茶席の作法を香也子はよくは知らない。が、そんなことには頓着なく、香也子は正客の隣に坐った。

「これから一服差しあげとう存じます」

　亭主の恵理子がそういってお辞儀をし、正客の青年を見た。途端に恵理子の顔に血がのぼった。

（あら、あかくなっている！）

正客の隣の香也子は、すばやく青年を見た。青年もちょっと顔を赤らめている。

(愉快だわ……この二人はきっと恋人同士なのだわ)

香也子は再び視線を姉の恵理子に戻した。確かに従兄の小山田整がいったように、恵理子は知的で、かつしとやかだった。自分の持たぬものを恵理子は持っていた。母とともに、自分を捨てて行った恵理子の横顔を香也子は突きさすように見た。出て行って以来、一度も会ったことのない姉は、香也子にとって、他人より冷たく遠い存在だった。

父の橋宮容一は、後妻の扶代と、そのつれ子の章子を家にいれた。母の保子も、恵理子も、そしてツネも、容一や香也子に会う機会を、つとめて避けたことは、当然である。しかし、香也子にとっては、母や姉はあくまで遠く冷たい存在でしかなかった。母の保子が、どんなに自分を思って泣いているか、姉の恵理子が懐かしがってうわさしているかなど、香也子は想像もしたことがない。

恵理子が柄杓(ひしゃく)を釜にいれた時、青年がいった。

「いいおなりのお釜ですね」

恵理子が何か答えたようだった。が、香也子には、その声は低くて聞こえなかった。

「そうですか。道理で」

青年はうなずき、

「今朝新聞で、お宅の茶会があることを知りましてね」

「よくおいでくださいました」

その会話に、香也子は、二人の関係がさほど親密ではないことを知った。もし恋人同士であれば、新聞を通して茶会を知る必要はない。が、恵理子がこの青年に心惹かれていることは、顔を赤らめたことからも知れた。

じっと恵理子を見つめている香也子の姿を、ツネと保子が息を殺して眺めている。

「知っていてきたのかしら」

「そりゃそうだよお前、あの様子なら」

傍にいる弟子に悟られぬように、二人は低くささやきあう。

「お前を恋しがってきたんだろうよ」

「そうかしら」

保子は首をかしげた。恵理子を見る香也子の目がきびしすぎると、保子は思う。

「後で話しかけてもいいかしら」

さきほど香也子は、「お父さん」と叫んだ。そのあたりに、橋宮容一と妻たちがきているのではないか。

「そうだねえ……声ぐらいかけても」

正客への茶を点て終わって、恵理子はいま、次の客への茶を点て終わっていた。恵理子は動揺していた。まだ名も知らぬあの青年が、わざわざ茶会にきてくれた。恵理子はいい難いときめきのうちに、茶筅（ちゃせん）を軽く動かしている。泡立った薄茶を恵理子は差し出して、静かに一礼した。そしてその目を香也子にあてた。

はっと、恵理子の姿勢が崩れた。思わず片手をつき、あわてて膝に手を置いた。

「ちょうだいいたします」

恵理子の驚きを、香也子は満足げに見て茶碗を両手に持った。折から風が吹き、桜の花びらが緋毛氈（ひもうせん）の上に散った。

茶席を出た香也子は、桜の木陰にいる祖母と、母の保子を見出した。保子が笑いかけ、近よろうとした時、香也子はついと視線をはずして、すぐにその場を離れた。ひどく冷たい表情だった。香也子はうしろもふり向かずに、いましがた隣にいた青年の姿を追った。青年はぶらぶらと、山道を登って行く。香也子は、急ぎ足で後を追った。

「あの……」

追いついて口ごもった香也子に、青年はふり返った。

「ああ」

青年は香也子が、自分の隣にいた女性であることに気づいたようだった。

「何か……」

　香也子はうなずいた。

「わたし……あなたに聞いていただきたいことがあるんです」

　香也子は少し涙ぐんだような声でいった。

「ぼくにですか」

　青年は、ちょっと困った顔をしたが、「なんです？」と、やさしく香也子を見た。

「あの……わたし、いまお茶を点てていた恵理子の妹なんです」

「え？」

　青年は目を見張った。

「あの人が君のお姉さん？」

「そうです」

「えり子さんっていうんですか、あの人」

「あら、まだ名前もご存じないんですか」

「知りません」

「じゃあ、どうして姉はあなたを見て真っ赤になったんでしょう」

「さあ、顔見知りだからでしょう」

青年の答えはさわやかだった。

「そうかしら。女はただの顔見知りの人に、あんなに顔を赤くはしないわ。わたし恋人かと思って、それで聞いてほしいことを……失礼しました」

「そりゃあ光栄だな。あんな人の恋人にまちがわれるなんて……。あの人、えり子さんとおっしゃるんですか。どんな字です」

「どんな字だと思って?」

香也子は青年をじらしたい気がした。少し急勾配の坂道を、二人は肩を並べて登って行く。茶席の赤い毛氈が、桜や桂の木の間越しに鮮やかだ。そしてその向こうに、上川盆地が遠く広がっている。青年はその茶席のあたりを見おろしながら、

「恵みに、理知の理かな」

といった。

「あら、ご名答よ。とうにご存じみたい」

「恵理子さんか、あの人らしい名前だな」

張りのある、若々しい声で青年はいった。

「ほんとうかしら。名前もご存じなかったなんて?」

「知りませんよ。ぼくはあの人の家のすぐ近所にはいますがねえ、彼女が藤戸という姓だと

しか知らなかったんですよ」

「そう、ご近所なの?」

「そうです。で、君はほんとうに、あの人の妹さんなの」

「そうよ。でもね、姉と母は、わたしを置いて家を出たのよ」

青年は黙って香也子の顔を見た。初対面の自分にいう言葉ではないと思った。

二人はいつしか頂上に出た。頂上にはテレビ塔があった。ここにも桜は見事に咲いていた。頂上から山の裏手につづく細い道があった。二人は何となくそっちへ歩いて行く。低いタラの木が、みずみずしい芽をつけ、道べには青い蕗(ふき)が葉を広げはじめている。

「そうか、ぼくは、あの人は何不自由なく育った幸せな人かと思った。そうか、お父さんがおられなかったのか」

青年は独り言のようにいった。

「でもねえ、姉は幸せよ。祖母と母と、三人水入らずですもの。わたしなんか、二度目の母とそのつれ子に遠慮して生きているんですもの。わたし淋しくって。だから今日だって、せめて顔を見たいと思ってきたのよ。でも、姉だって、母だって、ひとことも言葉をかけてくれないの」

香也子は、自分だけひどく不幸なような口ぶりでいう。

「人間関係って、複雑ですからねえ。しかも、夫婦別れってのは、微妙でしょうからねえ」

「あら、あなた、わたしに同情してくださらないのね」

たったいま知り合ったばかりなのに、香也子は恨みがましく青年を見た。

「そんなことありませんよ。ぼくだって、二度めの母どころか、三人の母に育てられていますからねえ」

「あら、ほんと?」

「ほんとですよ。もっとも、三人ともみんないい母だったんですが……やっぱり自分の母って、少々出来が悪くても、気兼ねなくものがいえますからねえ。自分の親よりいいものはないさ」

青年は明るく笑っていった。

「じゃ、わたしと同類項なのね。でも同類項さんの、肝腎要(かんじんかなめ)のお名前をまだお聞きしていなかったわ」

新芽のけぶる木の間越しに、旭山の裏手の山々が見える。

「ああ、ぼくはね、東西南北の西、列島の島、帯広(おびひろ)の広、貧乏の乏の、ノをとった之。わかりますか」

「西島広之(にしじまひろゆき)?」

香也子は目を輝かした。

「よく一度でわかりましたね。たいていの女性は、こういうと混乱して一度でわかってくれないんです。ところであなたの名は？」

「わたし？　橋宮香也子、香はかおり、也は一円也の也よ、変な名前」

「橋宮香也子、なかなかいい名じゃありませんか。橋宮建材と何か関係がありますか」

「あら、橋宮建材は父の会社よ、ご存じ？」

「知ってますよ。ぼくは木工団地の三K木工のデザイナーですからね」

「あら、デザイナーさんなの、西島さん。すてきねえ」

「建材屋さんとは、無縁じゃありませんよ。そうか、するとあの人は、橋宮建材のお嬢さんだったのか」

西島広之の歩みが遅くなった。

「西島さん、やっぱり姉のこと、好きみたいね。姉も不幸せなのよ。あなたが幸せにしてくださったら、うれしいわ」

「……好きという言葉を、そんなに手軽に使っちゃいけませんよ」

「あら、どうして」

「大事な言葉は、そう簡単に口に出しちゃいけないんですよ」

「あら困ったわ。わたしそんなことという人好きなの。いやだわ、わたし。西島さんのこと好きになるかもしれないわ」

香也子は目を妖しく光らせた。

「ぼくに聞いてほしいって、なんです?」

香也子のいまの言葉にはとりあわずに、西島はいって、歩みを返した。自分の言葉をそらした西島に、香也子はいった。

「わたし、こんな人けのない山道を男の人と二人だけで歩いたのは、はじめてよ。なんだかすごくロマンチックだわ。まるで恋人と歩いてるみたい」

香也子はすみれの花を摘みながらいう。

「もうぼくに用事がなければ失礼します」

西島はきっぱりといった。

「あら、どうなさったの。怒ったの。どうしたのよ。どうして怒ったの。わたし、あなたが姉の恋人だと思ったでしょう。だから、わたしと姉が、昔どおり仲よくなれるように助けてほしいと思ったのよ」

「そうですか。あの人と君がねえ。ぼくにその力があったら、いつでも仲に立ちますよ。ただし、その日がいつになるか、保証はできませんよ」

西島広之は、やさしい語調に戻った。

「ありがとう、じゃ、バイバイ」

無邪気にいって、香也子は不意に駆け出した。

子供のように勢いよく走って行く香也子のうしろ姿を、西島広之は微笑して見送った。

急な坂道を香也子はつんのめりそうに走って行く。ハラハラして見送っていると、香也子はカーブをまがったところで、勢いよく倒れた。西島は驚いて駆け寄って行った。

八

容一に手首をぐいぐい引っぱられて、何十メートルか、斜面を降りた扶代と章子は、あっけにとられていた。

「どうなすったの」

せっかく珍しい野点を見ようと思っていた扶代は、あきれて容一を見た。が、咎めるものの言い方のできない女なのだ。

「どうしたって、お前、あそこは駄目だよ」

「駄目？」

容一はようやく二人の手を放し、草に腰をおろした。

「駄目って、何が駄目なのですか」

もうここからは見えない茶席のほうを扶代は見上げる。近くで数人の若い男女がジンギスカン鍋を突つきながら、『知床(しれとこ)旅情』を歌っている。

「その、なんだ。敵がいるんだよ、敵が」

「てきですって？」

扶代はますます不審な顔になる。章子はその母の脇腹をちょっと突ついた。

「何よ、章子」

章子は義父の容一の手前、黙っている。

「これだから、お前という女はありがたいよ。助かるよ俺は」

容一はポケットからタバコを出して、

「香也子にも困ったもんだ。どうも、今朝からしつこく誘うと思ったよ」

「おかげで、きれいな桜を見物できたじゃありませんか」

「桜なんか、吹きとんじゃったよ。扶代、あの茶席はな、香也子のばあさんの席だよ」

「あら、そうでしたの」

さすがに扶代はおどろき、自分の間ぬけさに気づいたように笑った。

「あら、そうでしたのは、ないだろう」

二度と目の前に現れてくれるなと、保子からは厳重にいわれているのだ。

「そうですか。でも、内心は懐かしがっていらっしゃるかもしれませんよ」

「しかし、別れた女房の前に、ぞろぞろつれだって現れるほど、俺も無神経じゃないからね。香也子はいったい、どんなつもりで俺たちをつれ出したのかな」

香也子の心情が容一にもわからない。が、いつも被害者である章子には、香也子の心の動きが手にとるようにわかった。

「それはあなた、きっとおどろかせようというほどのことでしょう。香也ちゃんに悪気はありませんよね、章子」

章子は黙ってうなずいた。本当にこの母は香也子に悪気がないと信じているのだろうか、と章子は思う。いつだって母の扶代は、香也子に悪気はないという。その母の心のありどこそ、章子にはわからない。

「そりゃあ、香也子に悪気があっちゃあ困るが……何しろ突拍子もない子だからね……」

容一はいま見た恵理子と、保子の顔を思い浮かべながらいった。もしもあの保子が、いまの扶代の立場なら、どういっただろう。思いながら容一は、自分のタバコの煙を見つめていた。

その翌日、容一の会社に電話があった。

「藤戸さんという女の方からです」

秘書の笹（ささ）ハマ子が取り次いだ。

九

橋宮容一は、小料理屋菊天の一室に保子を待っていた。

保子から、思いがけなく電話がきたのは、五日ほど前のことだ。旭山に桜を見に行った翌日だった。

「藤戸さんという女の方からです」

と、秘書の笹ハマ子が電話を取り次いだ時、容一はてっきり、娘の恵理子からだと胸がとどろいた。用事のある時はいつでも電話をかけるように、恵理子に言ったのは、もう五年も前の、恵理子の高校卒業の時であった。恵理子は素直にうなずいたが、以来一度も電話をかけてきたことがない。

恵理子だと思って受話器を取ると、

「もしもし、お久しぶりね」

と、思いがけない保子の声を聞いた。

正式に保子と別れてからは、電話はおろか、葉書一枚きたこともない。そこに保子のかたくなさを見せつけられたようで、容一は時折淋しい思いをした。保子の異常な潔癖さに、息の詰まる思いで、容一はうかうかといまの妻扶代に手を出した。扶代は行きつけの料亭の帳場にいた子持ちの女だった。そののびのびとこだわらないふんいきに惹かれて、半年ほど二人の仲がつづいた頃、保子が気づいた。気づいた途端に、保子はアッというまに容一のもとを飛び出したのだ。

間に立ったのは、しっかり者の保子の母ツネで、容一は無理矢理別れさせられたような思いだった。

容一が保子の潔癖性に手を焼いたのは事実だった。外から帰ると、すぐに靴下を脱がなければ、保子はチフス菌でも運んできたような騒ぎかたをした。絶えず癇性に家の中を拭き清めていた。シーツも寝巻も、ホテルのように毎日取り替えなければ、眠れない女だった。だが、その欠点を除けば、神経の行き届いた、女らしい女だった。別れるつもりはなくて別れた未練が、十年後のいまも残っている。

むろん、いまの妻扶代の、善意でのびやかな性格もいい。扶代は、保子のように、

「汚いわねえ」

などと、容一をたしなめたことは一度もなかった。うがいをしなくても、手を洗わなくても、靴下をすぐに脱がなくても、そんなことをいちいち咎めはしなかった。

保子に逃げられたくやしさもあって、容一は、保子の出たあとすぐに扶代を家にいれた

のだが、まもなくその扶代にも、気にいらないところが見えてきた。同じ靴下を何日はいていても、扶代は替えてくれようとはしなかったし、床の間の花がとうにしおれていても、気づかないこともあった。風の日など、廊下がザラザラと埃っぽくなっていても、扶代はいっこうに気をつかわなかった。すると妙なことに、容一のほうで、扶代のすることが気になりだしたのだ。

たまたま、台所の床にこぼした水を、扶代が雑巾で拭くのを見た。が、その雑巾を持った手を洗いもせずに、まな板にあるホウレン草を切った。その日、容一はホウレン草に箸をつけなかった。

しかし扶代は、容一がどんなに遅く帰ろうと、不機嫌になったことがない。いつも同じ笑顔で、同じ言葉で迎えてくれる。

はじめのうちはそれが容一をくつろがせた。が、馴れるにつれて、その判で押したような言葉にも笑顔にも、次第に不満を感ずるようになった。

妻に迎えられているという感じがしないのだ。妻である以上、もっと夫の動きに応じた、真実な接し方があってもいいような気がする。そんな不満にもいまは馴れた。馴れた筈だが、時折不満が頭をもたげる。人間は勝手なものだと思う。

そんな容一に、保子から電話がきた時、容一はわれにもなく心がゆらいだ。

「珍しいじゃないか。元気か」

「あら、昨日、旭山でわたしたちをごらんになったんでしょう」

保子は、声だけでもなまめかしい。

「いや、昨日は参った。何も知らずに、香也子に無理矢理つれて行かれてな」

「その香也子のことで、ちょっとお話ししたいのよ」

保子はふっと、思いつめるような声になった。容一は、大阪に二、三日出張する用があったので、会う日を今日まで延ばした。保子は外食を嫌う女だ。が、この菊天にだけは、時折容一ときたものだった。おかみの初代が、保子の気性をのみこんで、座布団のカバーは真新しいものをかけて出すし、夏でも冬でも、おしぼりは火傷をしそうな熱いものを出した。ここの天ぷらは、特に保子の口に合う。自分の手で作った刺身でなければ食べない保子も、この店の刺身だけは食べた。

襖があいた。ふとったおかみが、

「社長さん、焼けぼっくいに火ですか」

と、銚子をテーブルに置いた。

「それならうれしいがね」

容一は盃を出す。

「ほんとうにねえ、何でお二人が別れたのか、はた目も羨むっていうのは、社長さんたちのことだと思いましたがねえ」

「わたしだって、そう思っていたさ。まさかあいつと別れようとはな」

と、一息に飲み、盃をおかみに手渡す。

「おばあちゃんが、自分のご主人の女道楽でこりごりしてるって、おっしゃいましたっけねえ」

「それだよ。そりゃあ、扶代に手を出した俺は悪いよ。悪いけど、いきなり一刀両断のもとに斬られたって感じだったな」

おかみはつつじの花の活けられた床の間を見、きれいに拭き清められた部屋を点検するように見まわして、

「でも社長さん、いまの奥さんだって、いい奥さんじゃありませんか。よりを戻しちゃ、いまの奥さんがかわいそうですよ」

「よりを戻してくれるような、保子じゃないよ。どうせ、ごたごたと、何か文句があるんだろうよ」

あの茶席で、香也子が何かをしでかしたにちがいないと、容一は覚悟をしている。でもなければ、別れてから十年も経って、急に電話をかけてくる筈がない。

「むこうのお嬢さんも、きれいになられたでしょう。小さい時からかわいかった」

「ああ、いい娘になった。ちょっとしたもんだ」

容一は遠慮なく自慢した。

「でも、ごきょうだいが、離ればなれになって、ちょっとかわいそうねえ」

そういった時、襖の外で、

「おつれさんがおみえになりました」

という声がした。

十

「少し白髪が……」

と、保子はやさしく容一を眺めた。

挨拶をすませたおかみは、とうに席を立っている。

「お前は変わらないな、恵理子の卒業の時と。いや、ちょっと痩せたかな」

「そうかしら、体重は変わらないのよ」

（そうか、扶代がふとっているから、痩せて見えたのか）

容一は苦笑し、

「十年か、別れて。……早いもんだね」

と、別れた妻を改めて吟味するように眺めた。ある種の女にとっては、十年の月日も変化をもたらさないものだ。以前、この部屋にもこうして、二人で天ぷらを食べに来たことを、容一は思い出した。自分はこの席にすわり、保子はその席にすわっていた。女が、熱いおしぼりとビールを運んできた。保子は酒を飲まないが、ビールなら飲む。係の女は保子と初対面だ。

「きれいな奥さまですね」

いって、女は出て行った。

「手があがったかね」

コップにビールを注いでやりながら、容一がいう。泡が白く盛りあがった。

「同じよ。せいぜい一本よ」

保子も容一のコップに注ぐ。

「ま、お互いに元気でよかった」

ちょっとコップをあげて容一がいい、保子もコップをあげた。

「何で別れたのかね、わたしたちは」

「決まってるじゃありませんか。あなたに好きな人ができたからよ」

「好きな?」

好きという言葉が、容一には的確とは思えなかった。関係ができたからといって、直ちに好きといわれることは、甚だしい飛躍に思われた。

「ねえ、今日はそんなのんきな話じゃないのよ」

「香也子のことだといったねえ。香也子がどうかしたのかね」

「このあいだ、旭山での野点に、あの子が現れたでしょ。あれは、偶然あそこに来合わせたのかしら」

「香也子があとでいっていたがね、あの朝、新聞の『会と催し』の欄で、野点のことを知ったそうだよ。あいつ何か企んでいたらしいな。しつこく桜を見に行こうって、俺たちを誘い出してね」

「そうですか」

藍色の着物の襟に、形のいいあごをつけ、保子はちょっと考えるふうだったが、

「じゃ、あなたはご存じなくてついていていらしたのね」

「当たり前じゃないか。女房子供をつれて、別れたお前の前に現れるほど、俺は神経は太くはないよ」

「そりゃそうですわね。じゃやっぱり、香也子ひとりの気持ちで、あそこへきたというわけね。かわいそうに」

「かわいそう?」

天ぷらが運ばれてきた。えび、なす、ねぎ、ピーマン、椎茸と、おかみは保子の好きなものを記憶していて出してくれた。

「かわいそうっていうのは……どんなことかね」

揚げたての熱い天ぷらをタレに浸しながら、容一は聞いた。

「だって、そうじゃありません？　あの子が新聞で、わたしたちの野点を知って、とにかく駆けつけてくれたのよ。ということは、やっぱりわたしや恵理子を、懐かしくてしようがなかったたっていうことでしょ」

「そりゃまあそうだろうなあ」

ふだん香也子は、保子や恵理子の顔など、二度と見たくないといっている。それがこのあいだは、自分たちを無理矢理引き立てて、つれて行ったのだ。

実はそのあたりが、ふだんの香也子を知っている容一には納得がいかない。二度と会いたくないというのは、会いたいという反語かもしれない。それなら一人で会いに行けばいいのだ。一人で会いに行くのが気おくれするなら、父親の自分だけつれていけばいいのだ。それを、後妻の扶代やつれ子の章子まで、無理矢理誘って行った。なぜ扶代や章子まで誘って行かねばならなかったか。容一はそのことが気にかかった。単純に、生母の保子や姉の恵理子を懐かしがって行ったのだとは、考えられない。しかし保子には、そうしたことまでわかりはしまい。

「あれからわたし、無性に香也子にすまなくなって……」

それまでは、すまなかったのかと、問いたい思いを顔には出さずに容一はいった。

「親が別れりゃあ、子供がかわいそうなもんだ」

「本当よねえ」

と、保子は意外に素直にうなずいて、

「夫婦はお互いの意志で別れても、子供たちはそうではありませんものね。恵理子だって、時々あなたを懐かしがっているし、香也子だって、きっとわたしたちを懐かしがっていると思うのよ」

好きな筈の天ぷらも、それほど手をつけずに、保子はいう。

香也子が、本当に生みの母を慕っているかどうか、容一には疑問である。香也子という娘の、本当の心のありどは、父親の容一にもわからない。が、恵理子が自分を懐かしがってくれているということを聞くと、容一は自分の失ったものの大きさを思った。

「それで?」

「それでわたし……本当はあなたとはぷっつり縁を切ったつもりでしたけど……」

「よりを戻してくれるつもりかい」

容一はひざを乗り出した。

「いやな方。そんなんじゃありませんよ」

保子はきれいな眉をひそめて、軽く睨んだが、思わず笑って、

「あなたは気が若いわ。……ね、わたし、親子の関係は、切っても切れないものだと、つく

づく思いましたのよ。わたしは別段、香也子が憎くておいてきたのじゃありませんわ。子供は二人で分けようということになったでしょう。だから、わたしにどうしてもついてくるという恵理子を選んだまでで……」

「わしだってそうだよ。恵理子だってわしの子供だからね。時々会わしてほしいと頼んだのに、これは最初から手きびしくことわられた。何という情のこわい話だろうと、これだけは正直恨んだよ」

「ごめんなさい。そりゃ、おばあちゃんにしてみれば、子供にかこつけて、よりを戻されちゃ困るという思いもあったんでしょ。でもね、あれじゃねえ、子供の身になって考えなかったわねえ。それをいまになって気づいたのよ。少し遅すぎるけれど」

深い吐息をついて、保子は容一を見た。

「だからいったことじゃないか。第一だよ、わしに女ができたからって……そりゃ女をつくることは悪いよ。悪いがねえ、保子、俺だって男だからね。たまにはほかの女にも手を出すさ」

「それがいやなんですよ。汚らしい」

保子は十年前の顔になる。

「そんなことといってね、お前、一人前の男が、妻君一人守って、一生いるなんて、まずない話だよ、こりゃあ」

「人様はどうでも、何もあなたまでなさらなくたっていいでしょう。人がしてるから、泥棒でも人殺しでもいいっていうんですか」

「極端だよ、お前は」

「ね、あなた、女にとって夫の浮気は何よりいやなのよ。死なれるよりいやなのよ」

「死なれるよりいや?」

「そうよ。どんな女でもそういうわ」

「冷酷なもんだね、女というものは」

「冷酷なのは男ですよ。そんなにいやなのに女をつくる」

と、ビールを飲みながら、ふっと笑って、

「いやですねえ。昔の話をむし返して。わたしが今日あなたにおねがいしたいのは、いままでのことはいままでのこととして、これからは、子供たちは、自由に会えるようにさせたいっていうことなのよ」

「そりゃあ、わしが前からいってることだ。あんたのほうで承知しなかっただけだよ」

「じゃ、とにかくこれからは、香也子をいつでもうちによこしてくださいね」

「ああ、その代わり、恵理子をいつ呼び出してもいいね」

「いいわよ。恵理子も、香也子も、年ごろですからねえ、結婚や何かのことで、わたしに相談したかったり、あなたに相談したかったりすることがあるでしょうから」

ホッとしたように、保子は残りのビールをあおる。その指に、何の指輪もないのを見た容一は、

「何か指輪を上げようかね、あんたにも」

と、ニヤニヤとした。

春の日

影法師

影法師

一

曇った空の下に、郭公（かっこう）の声がしきりにする。

もう十時だというのに、香也子（かやこ）はネグリジェのまま、一時間も前から三面鏡に向かって化粧していた。部屋の片隅のベッドが、三面鏡の二枚に写っていて、ベッドが二つあるように見える。ベッドの枕もとの壁に飾られた、こうもり傘をさした山羊の絵も二枚に写っている。シャガールの複製だ。

香也子のまうしろの窓が三面に写って、三方から、新緑の山がおしよせ、いかにもみどりに囲まれている感じだ。

三面の左の一枚には、犬、猫、熊などが人形棚にひしめいている。その他、馬や、鹿、ペンギンなど、人をかたどった人形はひとつもない。香也子は、自分より愛らしいもの、自分より美しいものが嫌いなのだ。それがたとえ人形であっても、人の形をしている時、香也子の熾烈な嫉妬心は、人形でさえその存在を許さないのだ。

香也子は、化粧の仕上がった顔を、さっきから鏡に近づけたり離したりして、眺めている。

が、どうも気にいらない。眉はもっと細くしたほうがいいような気もするし、口紅はオレンジ系の色にしたほうがよかったように思う。

香也子の目に、十日ほど前に見た姉の恵理子(えりこ)の顔が鮮やかに焼きついている。彫ったような二重瞼、しっとりとした肌、やさしくとおった鼻筋、それらがいやでも目に焼きついている。

あれ以来香也子は、鏡に向かうたびに、恵理子の顔と見くらべるような思いで化粧してきた。が、そのたびに苦い敗北感を味わうのだ。黒い目の輝きは姉には負けないと思う。やや小さめの唇も、薄いが形がよいと思う。が、どこかが姉に及ばない。それが香也子にはくやしいのだ。香也子はクレンジングクリームのふたをとると、人さし指と中指で、たっぷりとそれをすくい、額、頬、鼻、あごに、点々とつけ、思いきりよく化粧を落としはじめた。白いガーゼにべっとりとファウンデーションの色がつく。

クレンジングクリームをガーゼでぬぐい、化粧水をふくませた脱脂綿でごしごし拭いている時、ドアをノックする音が聞こえた。たちまち香也子の眉がぴりりと上がった。

「誰？」

咎める声だ。化粧を落とした顔を扶代や章子には見せたくないのだ。香也子は、幼い時に聞いた白雪姫の話の中で、もっとも心をうたれたのは、白雪姫のまま母が、鏡に向かって、

「鏡や、鏡や、世界のうちでいちばん美しいのは誰？」

と、尋ねる言葉だった。香也子もそんな思いで、いつも自分の顔を鏡に見ているのだ。他人に素顔を見せるくらいなら死にたいほどなのだ。

「ああ、お父さんだ」

のんびりとした容一(よういち)の声がした。

「お父さん？　仕方がないわねえ」

立って行って、香也子はドアを開けた。紺のウールのきものを着流した容一が、パイプをくわえたままはいってきた。

「何だ。まだ起きたばかりか」

容一は、机の前の椅子に腰をおろす。

「ずっと前から起きてるわよ。お父さん今日会社に行かないの」

「日曜だよ、今日は」

容一にも、素顔の香也子は珍しい。

「あら、日曜日。そうね、そうだったわね」

勤めをもたない香也子は、時々曜日がわからなくなる。それでも、水曜日と金曜日のピアノの練習日だけは覚えているからふしぎだ。香也子は父にはかまわず、すぐにまた鏡に向かって乳液をつけはじめた。

「素顔のほうがきれいだよ、香也子」

「まさか」

化粧した顔のほうがきれいだと、香也子は信じきっている。

「いやあ、若いお前さんは肌がいいんだ。なにも、べたくたつけて塗りつぶすことはないよ」

「まあ、失礼ね」

「失礼じゃないよ。素顔のほうがいいというのは、ほめてることだよ」

「高校生じゃあるまいし……このごろの、少し気のきいた子なら、化粧してるのよ、高校生だって」

と香也子は化粧の手をとめない。

「お父さん、何かご用?」

「用なんかないさ。お前の顔を見たかっただけさ」

香也子はニヤニヤして、

「ほかの男の人にそういわれたのならうれしいけれど、お父さんじゃしようがないな」

と、機嫌がいい。

「ねえ、お父さん。わたしも勤めたいわ」

「勤める?」

　容一の眉間にたてじわが寄る。

「だって、ピアノ習ってるだけじゃつまらないもの」

「じゃ、料理でも習えばいい」

　容一はこの、手に負えないわがままな香也子がかわいい。勤めに出す気はしないのだ。

「だって、章子(あきこ)さんは勤めさせたじゃない?」

　今年の三月まで、章子は会計事務所に勤めていた。が、三月で辞めたのは、英語塾の金(かな)井政夫(いまさお)との仲が、急速に進んだためである。章子は、いま、せっせと料理学校に通っている。

「そうね、わたしも料理学校に行こうかな。ね、お父さん、わたし、章子さんより先にお嫁に行きたいわ」

「嫁に?　お前、章子より二つも若いじゃないか」

　香也子のいうことは、猫の目のように変わる。

「だってお父さん、お友だちだって、じゃんじゃんお嫁に行っているのよ。行かない人でも同棲してたりさ。土曜日には男の人のところに泊まりに行ったりよ」

「羨ましいか」

「羨ましくないけど、なんだかちょっとくやしいわ。それに、章子さんよりあとにお嫁に行くなんて、わたしいやよ」

いやという言葉に、香也子は強いアクセントを置いた。容一は鏡の中の香也子に、ちょっと目をとめたが、

「じゃ、すぐに相手を探してくるんだね」

と苦笑し、

「お前のその負け嫌いは、誰に似たのかな」

と困ったようにいった。

「だってお父さん、章子さんより後にお嫁に行くなんて、わたしに魅力がないみたいよ」

「それとこれとは別だよ。魅力ある者が、必ず先に行くとはかぎらないよ。ま、章子とお前とをくらべたらお前をかわいいと思うに決まっているじゃないか」

「そうね。わたし、章子さんになんか、ちっとも負けやしないわね」

くるりとふり返って容一を見、ちょっと肩をすくめ、

「ね、お父さん、あの金井って英語の先生、どうかしてるわねえ。章子さんなんかのどこがいいのかしら」

「おとなしいところがいいんだろう。ところで、お前もお茶でも習ったらどうだ」

容一はようやく、いいたかったことをきりだした。

「お茶？　そうね、悪くないわね」

香也子は、野点で亭主をつとめていた姉の恵理子の姿を思い浮かべた。

「そうか、習うか。じゃ、藤戸（ふじと）のおばあちゃんのところへでも習いに行ったらどうかね？」

「藤戸の？」

探るように鏡の中から容一を見、

「いやよ、あそこなんか」

切り捨てるようにいう。

「しかしお前、このあいだ、野点に行ったじゃないか。おばあちゃんの茶会だと知って行ったんだろう」

「…………」

「お前だって、たまにはお母さんや恵理子に会いたいんだろう？」

「冗談じゃないわ。会いたくなんかないわ」

「そう強情を張るなよ。お母さんはね、いつでもきてくれって、いっていたよ」

「あら、お母さんに会ったの？　そう、お父さん、お母さんに未練が出てきたのね」

「馬鹿をいえ、馬鹿を」

「わかったわ、自分が未練が出たものだから、わたしをダシに使おうと思って……いいわよ。

使われてあげてもいいわよ」

「馬鹿をいいなさい」

「お母さんと、もとに戻れば、章子さんたちはこの家を出て行くかもしれないわね」

香也子は小気味よさそうに高笑いをした。

二

出稽古から帰ってきたツネのきものを、保子（やすこ）はたたみながら、

「ねえ、お母さん」

と、顔を向けずにいう。

この幾日か、保子はいいだす機会を狙っていた。下手にいいだしてはツネの機嫌をそこなう。ツネはふだん話のわかるほうだが、こと橋宮（はしみや）容一に対しては、かたくななほどにきびしい。

「なんだね。あ、これ島崎さんで、またいただいてきたよ」

きものを着替えて、文机（ふづくえ）の上においた小さな風呂敷包をあごで示す。その傍（そば）に、長谷川一夫のブロマイドがニッコリと笑っている。

「なんでしょう?」

「筋子（すじこ）だよ」

「まあ、いつもお高いものを……」

「あの奥さんは、気前がいいんだよ」

保子はビニール袋にはいった筋子を冷蔵庫にいれながら、話の腰を折られたような気がした。

「旭山の桜は、もうすっかり散ったでしょうね」

「何をいっているんだよ。一週間も前に散ったんじゃないのかい」

保子は、何とか香也子のことをいいだそうとして、旭山の桜をもちだしたのだ。

「ね、お母さん、あの時香也子は、ほんとはわたしたちに会いたかったのじゃないかしら」

今度はさらりといえた。

「香也子？　さあねえ。あの時の態度じゃ、恋しがってるとも見えなかったがねえ」

「いいえ、恋しかったのよ、あの子。でも、あの子だって立場上、素直に恋しいとはいえなかったのよ」

「そうかねえ」

その時、階段に静かに足音がして恵理子が茶の間にはいってきた。

「あら、もう三時？　おばあちゃんお帰りなさい」

恵理子は畳にすわる。たたみ終わったツネのきものをタンスにいれながら保子がいう。

「ねえ、恵理子、お前香也子をどう思った？」

「どうって？」

突き刺すような激しい視線を自分に向けていた香也子を、恵理子は思い浮かべる。

「あの子はやっぱり、懐かしがってきたんだろうね」

「そりゃあそうでしょう」

懐かしがってくる以外に、どんな気持ちでくるだろう、と恵理子は思う。くるにはきたが、その自分の感情をどう表現してよいか、香也子は戸惑っていたのだと恵理子は思う。

「おばあちゃん、お煎茶いかが？」

「ああ、お茶より、お水がいいね」

さばさばといって、

「保子、香也子の気持ちなど、どうだっていいじゃないか」

「あら、なぜ？」

「どうせ、お前とは縁の切れた子だからね」

水のはいったコップを祖母の前においた恵理子は、母と祖母の顔を交互に見る。

「そんな！　お母さん、縁が切れたなんて……ねえ、恵理子」

「だって、縁が切れてるじゃないか」

「そりゃあね、お母さん。橋宮とわたしは切れてますよ。でも、香也子はやっぱりわたしの腹を痛めた子ですからね」

「おや、じゃお前、あの子を呼び戻そうってつもりかい」

「そうじゃありませんけど、たまに会ってやらなきゃ、かわいそうじゃありませんか。あんな時でなければわたしたちの顔が見れないなんて、哀れじゃないの」

「保子、そんなこといってお前、わたしに隠れて、香也子と会ったりしちゃ、承知しないよ。香也子と会っているうちに、必ずあの橋宮とも会うようになるんだから。そんなことになったら、またややこしくなるよ」

「香也子としか会いませんよ、わたし」

「いいえ、そうはいかないの。必ず橋宮が手を出してくるんだから」

ツネが断固としていう。保子はうつむいた。

菊天で容一に会った時、容一は保子の指に指輪のないのを見ていった。

「買ってやろうか」

「いいのよ、お茶をしてると、指輪は邪魔なの。茶器に傷をつけるから」

と保子はいったが、その手は、容一にそっと握られていた。その時の感触が、まだ保子の体に残っている。それは抱かれた感触のように強烈だった。

「おばあちゃん。わたし、お母さんのいうことわかるわ。わたしだって香也ちゃんやお父さんが懐かしいわ」

恵理子が助け舟を出す。

「何をいってるの、恵理子。あんたはね、お母さんがどうして橋宮の家を出たか、わかんないだろう」

「わかってるわ。女の人のことでしょう」

「いいや、恵理子はまだわからないの。女にとって、夫に女ができたってことは、死ぬより辛いことなんだよ。わたしはね、おじいちゃんでこりごりしたんだから。男の浮気なんて、一生なおりゃしない。おじいちゃんで、それがよくわかったから、わかれさせたのよ。保子は、わたしといれば、食べるのに困るわけはなし、亭主で苦労することはなし、幸せなもんじゃないか」

ツネにとって、娘の保子と孫の恵理子との三人暮らしは、水入らずで平和そのものだった。この平和な暮らしを、香也子の出現で、こわされたくはないのだ。

ツネの眉が、けわしく上がっている。恵理子はふっと、わが祖母ながら、芝居に出てくる小意地の悪い奥女中を見る感じがして、ツネから目をそらせた。

保子も、容一の名が出れば、すぐに顔色を変えるツネの気持ちはのみこんでいる。自分も、容一と別れた当座は、母との生活のほうが、どんなに幸せだろうと思ったことだった。が、十年の歳月が過ぎてみると、保子は、これでよかったのだろうかという思いを、時折抱くようになった。あの時、もう少し自分が我慢をしていたなら、案外いまごろは、幸せな家庭を築いていたのではないかと思ったりもする。

「とにかく、香也子のことなんか、いまさらいいださないでおくれよ。恵理子も、橋宮の家になんか、電話をかけたりしないようにね」

ぴしりといい、笑顔に戻っていった。

「今夜は生鮨(なまずし)を奢(おご)ろうかねえ」

三

青地に白の、水玉模様のこうもり傘をさして、香也子は小雨の外に出た。庭の牡丹がアララギの陰に華やかに咲いている。しっとりとぬれた神居古潭石(かむいこたんいし)が、牡丹の傍にかぐろく美しい。シェパードのトニーが尾をふって鳴き立てる。

「散歩じゃないのよ、トニー。いい人を迎えに行くの」

香也子はトニーの頭をなで、門を出た。

西に行けば、道は下って三百メートルほどむこうの柏林に突きあたる。香也子は東にむかって歩いて行く。道端のチモシーが雨にぬれて光っているのが目をひく。角の家の藤がいま盛りで、小さな紫の滝のようだ。

道は次第に丘を登って、くもり空の中に果てる。落葉松(からまつ)林が行く手右側に清々しい緑を見せている。この道が、丘の中でも香也子のいちばん好きな道だ。尖った赤い屋根の家、白樺(しらかば)に囲まれた低い家、真っ白な北欧風の家、それらの家々が、ゆるやかな丘の斜面に、箱庭に置かれたように建っている。

こんな道を歩く時の香也子は、四、五歳の童女のような表情だ。何の邪気もない顔だ。香也子はくるりくるりと、両手でこうもり傘をまわす。傘は雨を弾いて四方にちらす。

と、丘の上に車が現れた。車は真っすぐに香也子のほうに下ってくる。見覚えのある金井政夫の車だ。いままで無邪気だった香也子の顔に、皮肉な微笑が浮かんだ。香也子は、金井を迎えに出てきたのだ。

金井は、あれ以来日曜日毎に、香也子の家に現れる。今日も金井を迎えるために、章子は台所で、お手伝いの絹子（きぬこ）とともに、大童（おおわらわ）だった。その間に、香也子は誰にもいわず、そっと金井を迎えに出てきたのだ。

近づいてきた金井は、小さくクラクションを鳴らした。驚いたように香也子は目を見張り、車から顔を出した金井政夫をみつめた。

「あら、金井さん、もういらしたの」

「早かったかなあ」

金井は時計を見た。

「早いわよ。章子さん、いまお料理にとりかかったばかりよ。今日は中華料理を作るんですって。一時間は早いわよ」

「そうか。だけど、五時にくるっていう約束だったんだけどなあ」

「じゃ、ちょっとの間わたしと観音台（かんのんだい）のほうにでも行ってみない？」

傘をすぼめ、香也子はすばやく助手台のドアをあけた。

「ああ、そうしますか」

金井政夫はうなずいた。ドアがしまった。車は方向を変えた。

「ああ、うれしい。わたし、金井さんと一度ドライブしてみたかったのよ」

「え？」

「だって、わたし、金井さんがお兄さんのような気がするんですもの。章子さんとわたしは姉妹だから、章子さんと結婚する金井さんはお兄さんということよね」

あどけなく笑って、香也子は軽く頭を金井の肩にもたせかけた。香也子の態度が無邪気なので、金井は咎めるわけにもいかない。

車は火山灰地の白い丘の上の道を走って行く。

「ねえ、金井さん。いや、今日からお兄さんと呼ぼうかしら。いい？　お兄さんと呼んでも」

「いいですよ」

金井はくすぐったい顔をした。

「わあ、うれしい。ね、お兄さん。内地はいまごろ梅雨ですってね。北海道は梅雨がなくっていいわねえ」

今日の雨は、梅雨のような感じだが、どうせ明日になれば、からりと晴れる雨なのだ。

「香也子さんは雨が嫌い?」

「あら、わたしがお兄さんと呼ぶんですもの。香也子って呼んでよ」

「香也子? それはどうもねえ。ぼくは女の人を呼び捨てにしたことがないんで……」

「でも、章子さんと結婚したら、章子って呼ぶんでしょう」

語尾が鼻にかかる。金井はちらりと横目で香也子を見、

「いや、それはまだわかりませんよ」

「あら、章子さんて呼ぶ気なの?」

「呼ぶかもしれません」

うっかり呼び捨てにするといえばこのわがまま娘は、自分をも呼び捨てにせよと迫るにちがいない。

「じゃ、仕方がないわ、香也子さんでも。でもいやだなあ、さんづけなんて、水臭くて」

「雨の日は嫌いですか、香也子さん」

「ううん、そうでもないの。じゃんじゃん雨が降って、この高砂台なんか、押し流されればいいと思うことがあるわ」

「こわいんだなあ、君は」

「あら、そうかしら。お兄さんは、雨降りは嫌い?」

「ぼくは、どちらかといえば晴れた日が好きですよ。車が汚れなくて助かりますからね」

「あーら」

香也子は顔をあげて笑った。が、次の瞬間、前よりももっと深く、金井の肩に頭をのせていた。

四

車はいつのまにか、高砂台から観音台につづく、馬の背に似た丘の尾根を走っていた。右手に深い落葉松林がつづき、左手の疎林を透して、旭川の屋並みが、雨雲の下に大きく広がっていた。

「凄いですねえ、この落葉松林は」

密生した落葉松林の中は夜のように暗い。何か鬼気迫るような暗さだ。

「とめて、お兄さん」

車がとまった。この道はめったに車は通らない。景色はいいが、あまり人に知られていない道なのだ。

「わたしねえ、こんな静かなところが好きなの」

さらに香也子の体が、金井によりかかった。

「香也子さん、もう少し離れてくださいよ」

「あら、どうして?」

香也子は目を見張って、金井を見た。

「どうしてって、運転ができませんからね」

「あら、だって、いま、車はとまってるじゃないの」

「それはそうですけれどねえ。しかし……」

「ねえ、お兄さん。お兄さんはもう章子さんとキスをしたの」

「………」

　黙って金井は、ポケットからタバコを出した。

「やっぱりなさったのねえ。いいわね、章子さん」

　金井はタバコに火をつけて、雨にぬれた道端の笹の葉に目をやった。

「ね、お兄さん、わたしにもキスをして」

「えっ？」

　金井は思わず口からタバコを離した。

「章子さんには恋人のキス、わたしには妹のキス」

　香也子はニッコリと笑った。ひどく愛らしい笑顔だった。目がキラキラと輝いている。

「困ったお嬢さんだなあ、君は。君はねえ、いままでそうやって、いろんな人にキスをしてもらったの」

　金井は皮肉な語調でいった。

「まあひどい！　わたし、キスなんか、まだ一度もされたことないわよ。わたし、お兄さんだからしてほしいのよ。きょうだいのしるしに」

「香也子さんねえ、君にもし好きな人ができた時、その時に、とにかく生まれてはじめてのキスを受けたらいいよ」

　金井はタバコを灰受けに入れ、ハンドルに手をおいた。その手を、

「待って」

　と、香也子はおさえた。

「いま、お兄さん、好きな人ができたらって、おっしゃったわね。じゃ、その好きな人がお兄さんだったら、どうするの」

「え？」

　金井は香也子を見た。香也子の必死な目が、金井を見つめている。

「香也子さん、そんなことをいっちゃいけないよ」

「どうして？　どうしていけないの？」

「だってぼくには……」

「章子さんがいるというの」

「そうですよ。ぼくには章子さんがいる」

「ねえ、章子さんとわたしとくらべて見て。わたしは章子さんよりもつまらない女？」

「そんなことはありませんよ。あの人はあの人、あなたはあなただ」

「ずるいわ。逃げないで、お兄さん。わたしほんとうにお兄さんが好きなの。好きで好きでたまらないの」

いいながら香也子は、本当に自分は金井が好きなような気がした。このどこかさわやかな金井政夫が、ひどく得がたい男性のように思われてきた。

「そんなこといったって……」

「ね、お兄さん。わたし、結婚してもらわなくてもいいの。ただ一度だけ、キスをしてほしいの。ただ、それだけなの」

香也子の目から、涙があふれ落ちた。

「香也子さん！　じゃ、君は、ほんとうにぼくを……」

金井は、香也子の両肩に手を置いて、香也子の顔を見つめた。香也子はこっくりとうなずいた。すがりつくような必死なまなざしだった。

「君が本気なら……ぼくも考えてみる。しかし、考えても君の思うとおりになるかどうか、わからないよ」

再び香也子はうなずいた。

「ぼくにとっては、章子さんのような人がふさわしいと思っていたけど……」

香也子の肩をおさえる手に力がはいった。

「わたし、章子さんの幸せをこわしたくはないわ。ただ、わたしの気持ちをわかってほしかったの。はじめて会った時から、わたし、何か大変なことになりそうな気がしていたの」

弱々しく香也子はいった。

「初めて会ったときから？」

「人を好きになるのに、時間は要らないわ。ひと目で好きになるわ。でも、今日まで我慢していたの。だけど、章子さんが一所懸命に、あなたのためにお料理を作っている姿を見ていたら、わたし、耐えられなくなってしまったの。だから、外に出てあなたの車を待っていたのよ」

またもや香也子の目から、涙があふれた。

「じゃ、君はあそこでぼくを待っていたの」

「そうよ、偶然じゃなかったのよ」

「そうだったのか」

「だから、わたし、ただキスだけしてもらば、それで諦めようと思ってるの」

「君って、見た目より、ずっと純情なんだね」

金井が、香也子の両頬を手で挟んだ。そしてそっと唇を近づけようとした時だった。うしろで、けたたましくクラクションが鳴った。はっと金井はハンドルをとった。車がようやくすれちがうことのできる狭い道なのだ。あわてて金井は車を左に寄せたが、うしろから再びクラクションが鳴った。

「これだけ寄せれば通れるのになあ……」

ふり返ると、思いがけなく香也子の従兄(いとこ)の小山田整(おやまだひとし)が、車から降りてきたところだった。

五

「おいしいわ。とってもおいしいわ」

香也子がいった。テーブルの上には、牛肉とピーマンと地物の筍のいため煮、毛蟹を使ったフーヨーハイ、それに容一の好きな八宝菜、酢ブタなどがいっぱいに並べられている。

「あら、うれしいわ。香也子さんにほめられるなんて」

上気した頬を、章子はおさえた。小山田整は、

「ああ、おいしいだろうよ。香也ちゃんとしてはな」

と、意味ありげに笑った。

「あら、どういうこと？　整さん」

香也子は軽くにらんだ。金井はその香也子をちらりと見、目を伏せて黙々と食べている。

「だってそうだろう。香也ちゃんは何ひとつ手伝わないで、ただ食べているわけだろう。料理ってものは、作った人はおいしくないものさ。なあ、章子ちゃん」

整は今日、章子からの電話を受けて、金井の相伴にやってきたのだった。整の車がバス通りを下って行った時、香也子が金井の車に乗るのを見かけた。香也子の性格をのみこん

でいる小山田整には、ぴんとくるものがあった。遠くから後を尾けて行ってみると、案の定、途中で香也子が金井の肩に頭をよせるのが見えた。車は観音台の霊園のほうにむかって行く。そこが人けのない淋しい道であることを、小山田整も知っていた。金井の車が道の途中にとまった。整の車が近づくのも知らずに、ふたりが顔を近づけていた。クラクションを鳴らすと、あわててふたりは離れた。車を降りた整は、

「やあ、ご両人、といいたいところだが、相手がちがうじゃないか、相手がよ。香也ちゃん、こっちの車に移んな」

そういって整は、香也子をつれて戻ってきたのだ。

「まあ、悪いようにはしないからさ。ぼくだって、そう不粋じゃないからね」

金井にもそういって、ひとまずみんなで夕餐(ゆうさん)に顔を出したのだった。

「式のことだがねえ、金井君」

そんないきさつを知る筈もなく、容一がいった。

「ハッ」

金井は緊張した顔で箸をおいた。扶代(ふよ)はいつものように、のんびりした調子でジュースを注いでやる。

「九月の彼岸はどうかね、暑からず寒からずで……」

金井はちらりと香也子を見、小山田を見た。

「いいわね、お彼岸のころだと、章子さんも何を着てもいいころだもの」

ひどく明るい声だ。章子はうなずいて、

「ええ、わたしはいいけど、金井さんは」

と、はにかみながら金井を見る。

「ハ、あの、ぼくは、べつだん……しかし、もしかしたら、英語のテストの……何があるかもしれませんので」

しどろもどろに答えるのを、小山田が、

「ま、独身時代にはなるべく早く見切りをつけたらいいんじゃないの」

と、酢ブタに箸をのばす。

「ハ、ぼくは章子さんのいいように」

と、金井は容一のほうに頭をさげた。その金井に香也子が何かいおうとした時、整がいった。

「ね、香也ちゃん、一寸八分って書く姓があるの、知ってる?」

「一寸八分? 何て読むのよ」

「知らないだろう。カマツカ、カマツカだよ。五六と書いて何と読む?」

「知らないわ」

「フジノボリっていうんだよ」

「まあ！　ほんと？」

「な、香也ちゃん。この世には苗字ひとつだっていろいろあるよな。色に摩擦の摩って書いて何と読む？」

「しきま？」

いってから、香也子は小山田をにらんだ。

「いや、シカマさ。だけどシキマって呼ばれて改姓したそうだけどね、名前は改めても、色魔ってのは、そう簡単になおらんからな」

香也子と金井にだけわかる言葉だった。が、容一はその三人の顔を順々に見つめた。

六

あけ放った窓から、木工団地の工場の機械のうなりが、絶えず低くひびいてくる。

恵理子は、頼まれたスーツの裾をまつっている。あるとも見えない風に乗って、タンポポの穂絮(ほわた)が窓からはいってきて、そのまつる手にとまった。恵理子は立って、その穂絮を窓から放った。穂絮は頼りなげに漂って行く。

「オーライ、オーライ」

トラックを誘導する声が、向こう岸に聞こえる。ふと見ると、百メートルほど先の配送センターから、トラックが出てくるところだった。旭川木工団地の製品は、この配送センターから全国に向かって発送されるのだ。いま、橋の上を、幾棹もタンスを積んだ大きなトラックが渡って行った。あのタンスを、どんな女性が、どんな家庭の中で使うのか。いつものことながら恵理子は思う。

若葉となったポプラの木立越しに向こう岸を見た恵理子は、淡い失望を感じて再びミシンの前にすわった。スーツの裾をまつりながら、恵理子は、野点の日以来、向こう岸に姿を見せなくなった青年のことを思う。もうあれから、ひと月以上は過ぎた。窓から眺めるたびに、恵理子は向こう岸に青年の姿を期待した。が、なぜか、あのギターを持った姿は現れなかった。思いがけなく茶会で会った時、恵理子は自分でも驚くほど胸がときめいた。わざわざ野点の席につらなってくれた青年を思って、その夜、恵理子は眠ることができなかった。

いつも家の中で洋裁をするか、祖母のお茶の稽古の手伝いをするだけの恵理子の生活は、ほとんど異性に接する機会のない生活だった。そのうえ、いつも祖母のツネから、

「恵理子、結婚なんて、それほどあこがれるほどのもんじゃないんだよ。何せね、男なんて者は、生ずるいもんなんだから。女房の目を盗んでは、ほかの女に手を出す。それが夫というものだと思っていたら、まちがいないよ。おばあちゃんや母さんを見てたらわかるだろ」

と、くり返し聞かされてきている。たまに高校時代の級友から電話がかかってきても、それが男の声であれば、

「留守ですよ」

と、ツネはにべもなく受話器を置いてしまう。祖母のツネにとっては、恵理子かわいさの思いですることだろうが、いつしか恵理子は、男性に近づくことも憚（はばか）られるような思いにさせられていた。だから、向こう岸に現れた、ギターをかき鳴らすあの青年が、野点の席にきた時の喜びは、恵理子でなければわからない喜びだった。

恵理子は器用に、スーツの裾をまつっていく。驚くほどの早さであり、驚くほどのうまさである。グリーンのこのスーツの主は、高校時代の友人だ。薬局を営むその父を手伝っていた友人も、今月の末には結婚する。相手は、父と同じ薬剤師だという。

（幸せであってほしい）

恵理子は痛切にそう思う。決して、母や祖母のような結婚生活になってほしくないと思う。恵理子は人から頼まれたものを縫う時、いつも持ち主の幸せを祈る思いで鋏（はさみ）をいれるのだ。結婚と聞くと、その思いがさらに強くなる。みんなが幸せになる時、自分も幸せになるのだと、高校時代から、恵理子は固く信じてきた。それは父母の離婚という不幸によって、自分もまた不幸にまきこまれたような気がするからかもしれない。

「香也ちゃん」

たった一人の妹の名を、恵理子はそっと呼んでみる。あの青年と並んで、ぎこちなく茶席についていた香也子が、たまらなく愛（いと）しい。馴れた席でもないのに、あの席につらなったのは、どんなに必死の思いであったろうと、恵理子は胸が熱くなる。それは、あの時のくいいるような香也子の激しいまなざしが、何よりもそれを語っているような気がする。実の母と実の姉を、どんなにか慕ってやってきたのだろうと思う。これも、あれ以来くり返し恵理子の心にかかることだった。

　ふっと恵理子は時計を見た。もう十二時半だ。川向こうを見る。やはり青年はきていない。と、その時、

「恵理子、お電話よ」

　と呼ぶ、母の保子の声がした。恵理子は針を針さしに刺して、部屋を出た。下に降り、

「どなたから?」

　と尋ねたが、

「ま、出てごらんなさいよ」

　と、保子は意味ありげに笑った。今日は木曜日で、ツネの出稽古の日だ。何となく、恵理子は青年の顔を思い浮かべて、受話器をとった。

「もしもし、あのう、恵理子ですけれど」

「おお、恵理子かね、わたしだよ。わかるかね」

　やわらかい中年の男の声だった。恵理子は一瞬息をのんでから、

「わかります」

　と、低く答えた。「お父さん」と呼んでいいものか、悪いものか、うしろにいる母の保子を思うと、恵理子にはわからなかった。

「おお、わかったか。覚えていてくれたかね、お父さんの声を」

懐かしそうな橋宮容一の声だった。

「ハイ」

恵理子はやはり、母が気になって何もいえなかった。

「いつかねえ、旭山で恵理子のきもの姿を見たよ。いい娘になったね」

「………………」

「どうだね、一度お父さんと食事でもしないかね」

「……ハイ……でも」

「そこにおばあちゃんがいるのかい。おばあちゃんは、木曜日は留守の筈だが」

いつのまにそんなことを父は知ったのだろう。いま、母がそう告げたのだろうか。とまどいを感じながら、

「いま、母だけですけれど……」

「じゃ、どうだね。お母さんと街まで出てこないかね、十五分もあったら出てこれるだろう」

「ハイ、あの、香也ちゃんも一緒ですか」

「いや、香也子は、今日は一緒じゃないが」

「香也ちゃんも呼んでください。そしたら……参ります」

「いや、香也子にも会わせたいんだがね、あの子のことでも話があるんだ。今日はお父さん

とお母さんの三人でもいいだろう」

「ちょっとお待ちください」

　恵理子は、うしろにいる保子をふり返った。

「お母さん、お父さんが一緒に食事をしようって。行ってもいいのかしら」

「いいわよ、お母さんも一緒に行くから」

「でも、おばあちゃんに知られたら……」

　ツネがいっていたことを忘れてはいない。ツネは母の保子に、

「香也子のことなんか、いまさらいいださないでおくれよ、わたしにかくれて、香也子に会ったりしちゃ、承知しないよ。そんなことすると、あの橋宮とも会うようになるんだから」

　といい、恵理子にも、

「橋宮の家になんか、電話をかけたりしないようにね」

　と、はっきり釘を打ったのだ。

　保子は恵理子に、

「大丈夫よ、おばあちゃんに内緒で会えばいいんじゃない。子供じゃあるまいし、いちいちいわれることはないわ」

　と、じれったそうにいう。恵理子は受話器を持ちなおし、

「お待たせしてごめんなさい。じゃ、これから、母と一緒に参ります」

「おお、そうかそうか。じゃ、ニュー北海ホテルの二階の中華料理の店で待ってるよ。すぐにくるんだよ」

容一がうきうきといった。

七

店内はひっそりとして客が二組ほどしかなかった。ま昼のせいだろう。容一、保子、恵理子の三人が、いちばん隅の席に向かい合っていた。

「いい娘になったねえ。まったくいい娘になった」

容一はさきほどから、同じことを目を細めて、幾度もいっている。

「そうですよ。恵理子は、ほんとうにいい娘ですよ」

牛肉とピーマンのいため煮を小皿にとりながら保子がいう。そのきものから出た肉づきのいい腕が、ふっくらとなまめかしい。恵理子は、母の保子の表情が、いつになく若々しいのに、何か痛ましさを感じた。別れた夫に会う女は、はたしてみんなこのような表情になるだろうか。そんな思いが、ふっと心をよぎった。

「ここの中華料理はうまいね。実はこの前の日曜日、うちに客があってね、中華料理の手づくりをご馳走したんだ。それが意外とうまくてね。お前たちに食べさせてやりたいと思ったもんだから……」

「どなたがおつくりになったの」

保子の語調が、ややねっとりとなる。容一はす早くそれに気づいて、

「お手伝いの絹子だ。あれは料理の上手な娘でね」

絹子が料理上手なのは事実だ。が、あの日は扶代の娘、章子が料理学校で習った腕前を披露したのだ。しかし容一は、そうはいわない。

「香也ちゃんは、お料理上手ですか」

恵理子が目をあげて容一を見た。

「いやあ、あいつは食べる一方でね」

「それは結構ですわ。あの年ごろで食欲がなけりゃあ、大変ですわ。ね、恵理子」

「それは、ま、そうだが……恵理子は何が得意かね」

少しでも恵理子にものをいわせようとする容一の気持ちが、恵理子にもあたたかく伝わる。

「わたし、あまり得意なものがないんです」

「そうでもないんですのよ。人様のスーツや、オーバーを縫いますしね。お茶も、将来はおばあちゃんのあとを継げるんじゃないですか」

「ほほう、たいしたもんだ」

前に保子に会って聞いていたことを、容一はいまはじめて聞くような顔でうなずき、

「どうだね、恵理子、お前、洋裁店でもひらいてみたくはないかね」

「思いますわ」

思わず恵理子の声が弾んだ。恵理子は高校を卒業して、洋裁学校に学んだ。その頃から、洋裁店をひらいてみたいという夢をもっていた。大きくなくてもいい。きれいな、透きとおるショーウインドーの中に、自分の好きな布地で、自分の好きな形にデザインしたドレスやコートなどを飾る店を持ちたかった。が、そんなことは、ツネと保子との生活の中では、いいだしても仕方のないことに思われて、語ったことはなかった。

「ほう、やりたいかね。やりたけりゃ、お父さんが応援するよ」

容一がそういった時、幼い頃、散歩に手を引いてくれた父の手の感触が、ふっと思い出された。それは親たちの離婚によって、父から遠ざかっていた恵理子の心を昔に戻すものであった。父と思えなかった人が、父に思われた。他に女をつくった不潔な男性であった筈だが、いまは血の通う分身に思われた。それは、自分の心の底にかくされた願いをいい当て、それを受けいれてくれたからかもしれない。ともに住んでいる母でさえ、一度もいったことのない自分の夢を、この父は、遠くに住んでいながら、わかってくれた。そんな思いだった。

「でも、あなた、恵理子はもうそろそろ結婚する齢ですよ。お店なんか持っていては、結婚の邪魔になりますわ」

　保子は外に働いたことはない。橋宮容一に嫁ぐ前も、ツネに手伝ってお茶をしていただけだ。

「なるほど、結婚か。しかし、店なら結婚してもつづけられるだろう。な、恵理子」

「そう思いますけど……」

「恵理子には、ボーイフレンドがいるのかい」

「いいえ」

　はにかんで答える恵理子の胸の中に、まだ名も知らぬあの青年の姿が浮かんだ。

「なに？　いない？　ほんとかね」

「ほんとうよ、お父さん」

　お父さんという言葉が、すらりと出た。何と懐かしい言葉だろう。

　はじめてお父さんと呼ばれて、容一の相好は大きく崩れた。容一は、もしかしたら、恵理子はこの自分を、生涯父と呼ぶまいと決意しているのではないか、それほどに憎んでいるのではないかと、内心恐れていたのだ。

「それは信じられん」

「でもね、あなた、恵理子は家の中から外には出ませんもの、洋裁をするか、お茶の稽古をするか、それだけでしょう？　ですから、ボーイフレンドなんかできる暇など、ありませんわ」

「それは残酷だ。大変な無菌家庭だ。なあ恵理子」

　と、体を前に乗り出し、声をあげて笑った。恵理子も笑った。潔癖な保子は、暇さえあれば、家の中を拭き清めている。靴のちりも、ていねいにぬぐわなければ、一歩も家の中にいれない。そのことをも含めて、半分冗談めかしていったのだ。保子はそれには気づかず、

「そうねえ、恵理子も年ごろなんだもの……でも、いまにおばあちゃんが、お弟子さんの伝手で、適当な候補者を見つけてくれますよ」

　ひとしきり話が弾んだあと、保子は時計を見、

「あら、もう二時過ぎよ。急がなければ、おばあちゃんが帰ってくるわ」

「帰ってきたって、いいじゃないか」

「そうはいきませんわよ。今日外出するって、いってなかったんですもの」

「断らなきゃ、外出もできないのかい」

「そうじゃないけれど……おばあちゃんの出かける時に、外出するともいわないで、二人で出てきたんですもの。あなたに会ったんじゃないんなら、平気ですけどねえ」

「相変わらずだね、おばあちゃんは、おれをすっかり毛嫌いしてるんだな」

「仕方がありませんわ」

「じゃ、何だ、保子だけ先に帰りなさい。せっかく何年ぶりで会ったんだ、おれはもう少しゆっくりしたいよ」

いいながら容一は、札入れから一万円札を二枚出し、

「ハイヤー代だ」

と、保子に渡した。保子は無造作に、

「ありがとう、いつも」

といい、そそくさと立ちあがった。

女らしい歩き方で去って行く保子を見まもりながら、恵理子は、母がすでに幾度も父と会っていたのだと思った。が、それを咎める気持ちは恵理子にはなかった。

「お父さん、わたし、香也ちゃんに会いたいわ」

恵理子はまっすぐに容一を見た。その時、容一の表情がハッと変わった。

容一は立ちあがった。恵理子がふり返ると、入り口のほうから香也子がはいってくるのが見えた。

八

思わず立ちあがった橋宮容一は、こちらに向かってまっすぐ歩いてくる香也子に、一瞬弱々しい微笑を向けた。が、香也子は、唇をキュッと閉じ、容一と恵理子を無視して、テーブルに近づいてきた。淡いピンクのスーツが、香也子をひどくおさなく見せていた。

「よお、いいところにきたな」

容一は自分を取り戻していた。恵理子と香也子を、いずれは引き合わせなければならないと思っていた。が、改めて引きあわせようとすれば、香也子は決して、素直に会おうとはいわなかったにちがいない。どんなに望んでいることでも、人に勧められれば、正反対の行動をとる香也子なのだ。正反対といわないまでも、その時その時の気分で行動が一定しないのだ。

このあいだ、祖母のツネにお茶を習えと勧めた時も、見事に一蹴された。が、そのあとすぐ、行ってみようかなどともいっていた。いま、突然の出現に驚きはしたが、考えてみれば好都合なのだと、容一は落ちつきを取り戻したのだ。

「ここにいることが、よくわかったねえ」

香也子は容一の顔も恵理子の顔も見ずに、天井から吊りさげられたランタンに目をやって、

「いまわたし、お父さんの会社に寄ったのよ。そしたら、秘書の笹さんが、お父さんはもうホテルに出かけましたよっていうじゃない？　ホテルに何しにって聞いたら、お嬢さまと中華料理をおあがりになるって。あらそんな約束だったかしらと、きてみたのよ。お嬢さまちがいとは知らなかったわ。馬鹿にしてる」

「そうか、そりゃあちょうどよかった。何を食べる？　香也子」

「何がちょうどよかったのよ。ごまかさないでよ、お父さん」

ウエートレスの持ってきたコップの水を香也子はひとくち飲んで、はじめてきっと容一を見た。その香也子を見つめながら、幼い時と少しも変わらないと、恵理子は思わず微笑を浮かべた。香也子はいいたいことは必ずいい、したいことは必ずする性格だった。自分の制服のスカートをずたずたに切りさかれたことさえ、いまの恵理子には懐かしい。

「香也子、お前、お姉さんに久しぶりで会ったんだろう。まず挨拶をしたらどうだ。怒るのはそのあとでもいい。なあ、恵理子」

「香也子ちゃん、しばらくね」

恵理子の声がやさしかった。

「馴れ馴れしく声をかけないでよ。何よ、わたしひとり置いて、ふたりで出て行ったくせに」

　香也子は強い視線を恵理子に浴びせた。が、恵理子に目をあてた瞬間、香也子はかすかな敗北を感じた。ブルーのスーツが、あまりにもぴたりと身についた恵理子に、香也子はたじろいだ。先月、旭山で見た恵理子は、つけさげを着ていた。見事な和服姿だった。が、それは正装のせいだと香也子は思っていた。しかしいま見る恵理子は、どこがどうと、口に表しようのない着こなしのよさを、はっきりと香也子に感じさせた。

（洋裁をしてるからだわ）

　香也子はそう思おうとした。洋装ならば、誰にも負けないと香也子は自負していたが、その自負を、何の構えもなく恵理子はつきくずしたのだ。

　次の瞬間、香也子の心の底で、す早い打算が働いた。この姉と遠ざかっているよりは、ぐっと接近して、多くのものを奪ったほうが得だと、香也子らしいソロバンをはじいたのだ。

（スーツだって、ドレスだって、注文どおりにただで縫ってもらえるわ）

　恵理子の着ているスーツを見て、香也子は恵理子の仕立ての確かさを見た。

「そうね、香也ちゃんのいうとおりね。香也ちゃんをひとりおいて、お母さんとわたし、橋宮の家を出てしまったんですものね」

　うるんだ恵理子の声が返ってきた。その恵理子を香也子はちらりと見たが、視線を容一

に移し、

「お父さん、小母さんや章子さんには内緒なんでしょ」

と、ニヤリとした。にわかに、年輩の女のような分別くさい表情が浮かんだ。

「扶代にか……扶代にはお前、何でもいってあるよ」

容一はつらっとして答えた。

「ほんと？」

と探るように見、

「ここにいままで、もうひとりいたようね」

と、さっきまで保子のいた席を香也子は意味ありげに見た。内心恵理子に近づくことを決意しながら、しかし父親の弱みを衝くことも、香也子は忘れない。

「うん、まあな……」

「どうやら秘密のようね」

「秘密だなんて、お前、何も扶代にかくすことはない。別れてもわしは恵理子の父親だからな。香也子にわからん相談もあるさ」

「そう。じゃ、今日のこと家に帰って話してもいいのね」

口を歪めて小意地のわるい顔をする。

「うん、ま、そんな馬鹿なことは、香也子はしないだろうと思うがね」

「わからないわ。お父さんの出方ひとつよ」

いいながら香也子は、ふたりのやりとりを眺めている恵理子に、ウインクをして見せた。これが香也子の挨拶だった。恵理子は微笑した。

「ねえ、わたしたち三人は、水入らずよね。血が通っているんですもの。章子さんや小母さんとは、ちがうわよねえ」

機嫌の一変した香也子にとまどいながらも、容一もうれしそうに笑った。

「やっと機嫌がなおったね」

「あら、わたし、はじめから機嫌なんかわるくなかったわよ。大好きなお姉さんに会うのに、機嫌なんかわるくなる筈ないでしょ」

「はいってきた時の顔は、そうでもなかったぞ。なあ、恵理子」

「そりゃあ当たり前よ、お父さん。とびあがりたいほどうれしくたって、ちょっとはすねて見せなくちゃ、お父さんの教育に悪いもの」

ニコッと笑って、小さな舌をちろりと出して見せる。

「お父さんの教育にわるいは、参ったな。なあ恵理子、お父さんはこうして、いつも香也子にいじめられているんだぞ。かわいそうだろう」

「うそよ、かわいがってるのよ。あ、お父さん、わたしワンタンだけでいいわ。おひるだから。あと何もいらない」

「ワンタンだけか。おやすいご用だ」

　二人のやりとりを、恵理子は羨ましげに見守った。仲のいい父娘だと思った。祖母のツネと母の保子との三人の、男けのない家庭に育った恵理子は、わがままいっぱいに容一に甘えている香也子が、ひどく幸せに思われた。

「ねえ、お姉さん」

　残ったコップの水を一息に飲んで、香也子はテーブルに片ひじをおき、身を乗り出すようにしていった。

「わたしね、お茶の会に行ったでしょ。あの日、お母さんやお姉さんに会えると思ったら、うれしくてうれしくて仕方がなかったのよ。眠られなかったの」

「まあ」

　恵理子は膝の上の、スーツと同色のブルーのハンケチを、キュッと握りしめながら香也子を見た。

「行ってみたら、お姉さんがお茶を点てていたでしょう。すごくきれいで、それで、うれしくて……それなのにお父さんたら、パッと逃げ出したの。わたし思わず、お父さん！　ってて呼んじゃった」

「まあそうだったの」

うなずく恵理子のいいようもない優しさを、香也子は嫉妬しながら見つめていった。

「お姉さんのつけさげ、すてきだったわ。あの人がわたしのお姉さんよって、誰にでもいいふらしたかったわ」

「あら、どうしましょう。香也ちゃんったら」

姉らしい微笑だった。この姉の何に自分はかなわないのだろう。香也子は腹の底で、冷静に恵理子を見つめながら、運ばれてきたワンタンに胡椒をふった。香也子は、ひとくち汁をすすって、

「あ、そうそう。ね、お父さん。わたしね、あの時ボーイフレンドができたのよ。お茶席で、わたしの隣に正客になった人」

「!?……」

恵理子はハッと長いまつ毛をあげて香也子を見た。

「何？　ボーイフレンド？　お前にはボーイフレンドなど、いなかった筈じゃないか」

「表むきはね。わたしだって三人や五人いるわよ、お父さん。ほら、お姉さんも知ってるでしょ、西島(にしじま)さん」

「西島さん？」

「あら、知らないの？　あの人、お姉さんの近所にいて、木工団地に勤めているんですって」

（西島さん……）

恵理子は、はじめてその名を知った。

「おやおや、あの日にお前、ボーイフレンドまでできたのか」

「できたわよ、お茶をいただいてから、ふたりで頂上まで登って行ったの。あの人、木工団地の家具のデザイナーなんですって。すてきでしょう」

「木工団地のデザイナー？　何ていうんだ」

「だから、西島さんっていったでしょ」

「ああ、じゃ、三K木工の西島君のことかな」

容一も身を乗り出す。

「そうよ。お父さん知ってるの？　三K木工の西島さんって」

「そりゃ知ってるさ。なかなかいい才能を持ってるらしいぞ。西島君にソファーやテーブルの特注をする金持ち連中がいるからなあ」

恵理子は、ふっと落ちこむような淋しさを感じた。

「わあ、西島さんって、才能があるのねえ、やっぱり。あの日ねえ、ふたりで、人けのない頂上の小道を歩いて行って……そして、あとはご想像にまかせるわ」
香也子は愛らしく肩をすくめてみせた。

九

今夜も庭つづきの崖の下から蛙の声が賑やかに聞こえてくる。崖下の沢には田んぼがあるのだ。

ときどき蛙の声が途切れると、神居古潭（かむいこたん）に向かう山間（やまあい）の国道を通る自動車の音が遠い山鳴りのように聞こえてくる。十五畳のリビングキッチンに、香也子がひとりテレビを見ていた。容一も扶代も、奥の間に珍しく早く引っこみ、台所で章子がパウンドケーキを焼いている。その香ばしい香りが居間にも漂っている。章子の結婚は十月と決まった。パウンドケーキの香りに、香也子は章子がどんなに幸せな思いでケーキを焼いているかを思った。

「香也子さん、パウンドケーキ召しあがる？」

やがて章子の声がした。

香也子は、さっきからだらだらとつづいている生（な）さぬ仲のドラマを切った。この生さぬ仲のドラマは、継母（ままはは）もやさしければ、継子（まま こ）もやさしい。それが香也子には気にいらないのだ。人間が自分以外の他の者を、どうして愛せるだろうと、香也子は思っている。

容一が香也子をかわいいといっても、その愛さえも、香也子は信じていない。本当にかわいいのなら、どうして父と母は別れたのかと思う。父と母が別れたのは、つまりは子供より自分がかわいかったからではないかと、香也子は嘲笑したくなるのだ。男と女の愛も信じられない。この世に、いやというほど離婚があり、失恋があるというのに、どうして人々は、愛だの、恋だのと騒ぐのだろうと、香也子は思うのだ。いまは子殺しの時代だという。自分自身の身勝手な都合で、子供さえ殺す。そんな人間に、何が愛だ、何が恋だと、香也子は怒りさえ感ずるのだ。香也子には誰も信じられない。それなのに、いま見たテレビドラマは、継子継母が、お互いに思いやるドラマだ。馬鹿馬鹿しくてテレビを切った香也子に、章子は、

「あら、ごらんになっててもいいのよ」

と、おずおずという。紅茶と、パウンドケーキをサイドテーブルにおいて、

「うまく焼けたかどうか、わからないけど」

と、章子は香也子の顔色をうかがう。

「章子さんのつくったものは、おいしいに決まっているわよ」

「あら、うれしいわ」

「だってもう五十本も焼いたじゃない？　五十本も焼けば、馬鹿だっておいしくできるわよ」

気にさわるドラマを見ていた腹だたしさで、香也子は機嫌がわるい。

と、その時電話のベルが鳴った。ハッとしたように章子が受話器を取った。

「もしもし、橋宮でございます。あら、政夫さん？」

とりすました声が、急に華やぐ。

「今日はもうお仕事終わったの？　ええ……ええ……わたし？　何をしてたと思って？」

ちらっと章子は香也子を見た。

「……え？　政夫さんの好きなパウンドケーキよ。明日お届けするわ。……ええ……ええ」

あとはただ、相槌を打っているだけだ。香也子はパウンドケーキにスモールフォークを突き立てて口にいれた。クルミの香りが口の中にひろがる。

「ハイ……ええ、でも……いいえ、それはいいの……ただ、そうはいかない。……え？　……いいえ、香也子さんがいらっしゃるわ」

章子は声をひそめる。

「ハイ、じゃ、またあしたね、おやすみなさい」

切ろうとした時、いつのまにか傍にきていた香也子の手が、さっと受話器を奪った。

「もしもし、お兄さん？　わたしよ。香也子よ」

甘い声を香也子は出す。

「ああ、香也子さんですか。いけませんよ、章子さんのそばで電話をしたりしちゃ」

「あら、なあぜ？」

「なぜって……困るなあ」

「どうして？　お兄さん。わたしね、折りいってご相談したいのよ」

　香也子はうしろをふり返った。章子は少し離れて立ったまま香也子を見ていた。

「相談て、何ですか」

「こないだねえ、わたし……これ、誰にも内緒よ」

　香也子は声をひそめた。声をひそめても、僅か三、四メートルしか離れていない章子に聞こえぬ筈はない。内緒という言葉に、章子はキッチンに引っこんだ。が、居間とキッチンは、カウンターで仕切られているだけだ。香也子は、その章子に聞かすつもりでいった。

「ねえ、わたしこないだ、ニュー北海ホテルで、お父さんがもとの奥さんと、娘と、三人で食事してるのを見かけたのよ」

　香也子が見たのは、恵理子と容一だけなのだ。

「はあ」

　困惑した声が返ってきた。

「ねえ、お兄さん、驚いたでしょう。それからわたし悩んでるのよ」

「悩む？」

「だって、それがすごく仲よさそうなの。そりゃあ、もとは夫婦だったから無理もないと思うけど、まるでべたべたなの。いったん別れた夫婦なのに、いやねえ」

「そんなお話、ぼくが聞いても……」

「あら、お兄さん、章子さんのこと、そんなに冷淡に考えてるの」

冷淡という言葉に、香也子は力をいれてみせる。キッチンで身を固くして、香也子の声に耳を傾けている章子の姿を、香也子は感じながら、

「あら、冷淡じゃないって？　そうはいわせないわ。だってそうでしょう。もしお父さんが、わたしの母とよりを戻したら、章子さん親子は、この家から追い出されるのよ」

「そんなこと、そこでいっちゃいけません、香也子さん」

「そう、じゃ、どこでお会いしましょう？」

「どこでって……」

あわてる金井に、押しかぶせるように、

「ああ、やっぱり、車の中がいいかもしれないわね。いつかみたいに」

ふくみ笑いをして、

「とにかく、わたしお兄さんしか相談する人がないんですもの。いつがいいかしら」

香也子は、何重もの意味で、その電話を楽しんでいた。

蛙の声

蛙の声

一

「あら、マヨネーズが少し足りないわ。恵理子(えりこ)、買ってきてくれる」

母の保子(やすこ)が、食器を並べている恵理子に声をかけた。このごろの母の声には、以前にはない張りがあると思いながら、

「ハイ、ほかに何か要るものないかしら」

「そうね、じゃ、序(ついで)に卵も買ってきてもらおうかしら」

「卵ね、おばあちゃんは何かご用ない?」

陶器の写真集を見ていたツネは、老眼鏡をずらして恵理子を見、

「墨汁を買ってきてもらおうかね」

といった。ツネは、手紙はすべて毛筆で書く。

「お茶をする者が、ペンや鉛筆なんかで手紙を書けますかってんだ」

これがツネの持論である。

まだ明るい戸外に恵理子は出た。夏至を過ぎたばかりだ。本州は梅雨時だというのに、

からりとした日が幾日もつづく。庭隅のテッセンの紫の大輪が、しっとりと美しい。テッセンは恵理子の好きな花だ。その花をとりまく空気が静まっているようで、恵理子は出入りのたびに足をとめる。

木戸門を出た時だった。不意にギターの音が流れてきた。恵理子が現れるのを待って鳴らしたかのようであった。ハッと息をのんで小川の向こうを見ると、そこに西島広之（にしじまひろゆき）がいた。息をつめて、恵理子は西島を見た。あの野点（のだて）の日から、四十日余りも経っている。西島は恵理子をじっと見つめながら、ギターを弾きつづける。

恵理子が立ち去ろうとする時、ギターがやんだ。小さな木片が、ぽいとこちらの岸に放られた。木片は生い茂ったオーチャードの中に落ちた。西島広之は目顔で何かいっている。一瞬恵理子は迷ったが、その十センチ余りの、キャラメルの箱ほどの木片を拾った。木片には、

〈六月二十七日、午後七時、彫刻公園（ちょうこくこうえん）入口にお待ちします。西島広之

恵理子様〉

と、書かれてあった。

恵理子は夜はめったに外には出ない。が、恵理子は西島を見てうなずき、黙礼して、右のほうに歩いて行った。胸が喜びにふるえるようだった。少し行ってふり返ると、西島が

大きく片手をふった。恵理子も手をふった。

(わたしの名前をどうして……)

一瞬いぶかしく思ったが、香也子は西島をボーイフレンドだといっていた。たぶん、西島は香也子から聞いたのであろう。西島という名も、自分は香也子に聞いたのだからと納得した。

道べのオーチャードがやさしく風にゆれ、小川の音がひそやかだ。

(それにしても、四十日の間、あの人はいったいどうして姿を現さなかったのだろう)

橋の傍まできて、恵理子は西島のいる土手をふり返った。が、そこからは西島の姿が見えなかった。疎らな家並みの間に、青田が広がって見える。蛙が一つ二つものうく鳴き、そしてすぐに鳴きやんだ。

買い物をすませた恵理子は、明後日の午後七時、なんといって家を出るべきかと考えながらマーケットを出た。恵理子はさきほどの木片を取り出して見た。かわいい小鳥が巧みに彫られてある。いかにも三K木工のデザイナーらしい繊細な彫りである。それに、丸みを帯びた、感じのいい字がぽつぽつと並べられてある。そっと握りしめながら、恵理子はさっきの道を戻っていく。逆光の中に、家も人も、切り絵のように影が黒い。

(お母さんはゆるしてくれるだろうけれど……おばあちゃんは)

ツネは、結婚は決して女を幸せにしないといつもいう。

「第一さ、恵理子。このごろの若い者なんか、女みたいに髪を伸ばしてさ、ヘニャラヘニャラと歩いてさ。あんな奴らと結婚するぐらいなら、七十過ぎのほうが、まだ男っぽいからね」

ツネはそんなこともいう。祖父の女遊びが激しかったこと、保子が離縁したこと、それがいつまでもツネの結婚観をいびつなものにしているのだ。そのツネに、この木片を見せたら、どういうだろう。

「馬鹿にしてるよ。電報みたいな、こんな誘いで、人の娘をつれ出そうなんて」

ツネの声が聞こえるようだ。だが、恵理子には、このかわいい小鳥を彫った木片が、長い手紙よりも、はるかに真実なものに思われるのだ。

向こう岸をトラックが二台、ソファーを積んで走り去った。これから本州に向けて出発するトラックなのだろう。

食事がはじまった。この家に椅子と名のつくものは、恵理子のミシンの椅子だけだ。どの部屋も、全部和室である。

「畳がいいんですよ、畳が。椅子だのベッドだの、どかっと部屋をふさぐなんて、あまり利口なことじゃありませんよ。その点日本間はいいねえ。すわりたい時に座布団を出せばいいし、寝たい時に布団を敷けばいい。さっぱりしてますよ。これがまた、お茶の心にもかなってるしね」

　ツネは誇らしげにいつもそういう。和室で立ったりすわったりしているから、膝のバネが発達して丈夫になるのだともいう。また、ドアというもの、あれは頭の悪い者が考え出したものだともツネはいう。うっかりあけると、人にぶつかったり、ドアのあく分だけ場所を取ると、ツネは笑うのだ。それもそうだと思うことがあっても、若い恵理子には、洋間にベッドやソファーの置かれた生活も、味わってみたいような気がする。

　それでもツネは、元来話のわかるほうなのだ。

「かわいい子には旅をさせろってね。一年に一度ぐらいは、知らない土地に行って、その土地の歴史や人情にふれてみるのも、いいことだよ」

　と、旅費をぽんと出してくれる。ときどきうまい店につれて行って、食べさせてくれることもある。そういう時のツネは話題も豊富で、楽しい祖母なのだ。

　いまもツネは、箸を動かしながら陶器の話を聞かせてくれている。いつも膝をのり出して聞く保子が、今日は、

「そう」

「そう」

　と相槌を打つだけだ。恵理子もさきほどの西島広之との約束が気になって、あまり身を

いれて聞いてはいない。そのくせ、保子がぼんやりしていることに、恵理子は気づいていた。と、保子が飯粒を食卓にこぼした。次の瞬間、保子はその飯粒を器用に箸で拾って口にいれた。恵理子はハッとした。保子はまちがっても、食卓にこぼしたものを口にいれたことがない。ツネはその保子に気づかないのか、

「ねえ、恵理子。恵理子も少しは焼き物をやっておいたほうがいいよ。おばあちゃんはね、恵理子に焼いてほしいものがある。なんだと思う?」

「おうすの茶碗?」

「まさか。お前の焼いた茶碗で、お茶を点てようとは思いませんよ」

「まあひどい。何かしら?」

「骨がめさ。骨がめ。おばあちゃんは体が大きいからね、大きめなのを焼いておくれよ。色は鶯色でね。つまりお茶の色さ」

「いやねえ、おばあちゃんったら。ねえお母さん」

保子は、「え?」というような顔をして、

「ほんとね、ほんとにいやだわ」

と、生返事をした。

食事が終わった途端、

「保子」

　ぴりりとするようなツネの声だった。

「ハ、ハイ」

「ハ、ハイじゃありませんよ。お前今日、様子がおかしいよ。何かあったのかい」

　正座のまま、ツネは保子を見据えた。

「べつに」

「べつに？　そんなことはないだろう。ねえ、恵理子、恵理子も見ていただろう。保子は卓袱台(ちゃぶだい)の上にこぼしたご飯粒を食べたんだよ」

「まさか」

　保子が驚いた。

「まさか？　じゃ、やっぱり、お前は気づかないで食べたってことだね。人の話をうわの空で聞いている証拠ですよ。いったい何を考えていたんだい」

「何って、おかあさん。いやですね……そりゃ誰だって、別のことを考えてることがあるでしょう」

「その別のことが何だいって聞いているんだよ」

「いろいろよ、それは。ちょっとお腹が痛いと思ったり、これは何を食べたからかと思ったり……」

「ごまかしても駄目」

　ツネは何を思ったか、ついと隣の自分の部屋に立って行った。保子は恵理子の耳に、

「お父さんと会ったことは内緒よ」

　と、ささやいた。うなずく間もなく戻ってきて、ツネは手紙をぽいと保子の前においた。

「なんですの？　これ」

「見たらわかるだろ」

　と、恵理子のいれたお茶を飲む。

「まあ！」

　差出人は香也子だった。あけて見ると、不揃いな字が目にはいった。

〈おばあちゃん。お元気ですか。わたし香也子です。わたしは今年、もう二十になりました。それで、お茶でも習いたいと思いますけれど、おばあちゃん教えてくれますか。わたしはおばあちゃんの孫だから、まさかいやとはいわないでしょう。わたしはおばあちゃんが好きです。ちょっぴりこわいところがすごく好きです。香也子
　おばあちゃんへ〉

読んで、保子はほっとした。ホテルで容一と食事をしたことが、ばれたのかと思った。が、

それにしても、短大を出たというのに、なんと小学生のような幼稚な手紙であろう。あるいは香也子は、祖母のツネの前に、わざと子供っぽく書いたのかもしれない。しかし、どうしてこの手紙をツネに書いたのか。保子は戸惑った顔をツネに向けた。

「この手紙いつきたんですか?」

「昨日だよ。お稽古に出ようとしたら、ちょうど郵便屋さんがきてね」

「それで?」

「お前にも、こんな手紙か、電話でもきてたんじゃないのかい」

「いいえ、わたしはべつに……」

「そうかい。わたしゃまた、お前にも香也子からこんな手紙でもきたのかと思ってさ。それで思いあぐねているのかと思ったのさ。とにかくね保子、この家は三人水入らずの家なんだからね。わたしには内緒はつくらないでおくれよ。恵理子もわかったね」

いつものように、ツネの機嫌はすぐになおった。うなずきながら恵理子は、ポケットにあるさきほどの木片に、そっと手をやった。

蛙の声

二

恵理子は川田カメラ店に、仕立物のワンピースを届けて、外に出た。夕方の買物通り公園には人があふれていた。通りの真ん中にある大きな花時計の前に、四、五歳の子供と並んで、若い父親がその妻に写真を撮られていた。ベンチには四、五人の老人たちが、何か楽しそうに話し合っている。和やかな風景だ。

ロバ菓子店の前で、ちょっと考えてから、恵理子はチョコレートを二枚買った。時計を見ると、西島広之と会う時間までにまだ三十分ある。

恵理子は今日、朝からそわそわしていた。西島広之と会うということが、こんなにも自分の全生活を突き動かすのかと思うと、少し恐ろしいような気がした。いままでと全くちがった生活が待っているような恐れを感じたのだ。が、それはそれとして、なんとしてでも西島に会いたかった。そのためには、口実を設けて外出しなければならない。その口実に、恵理子は仕立物を届けることを思いたった。だから、西島から、あの木片をもらった一昨日以来、ちょうど預かっていたワンピースを縫うために、恵理子は懸命だった。恵理子には、全くの嘘はつけない。ワンピースさえできあがれば、確かに届けるために外出するのだから、嘘にはならない。そう思いながらも、やはりうしろめたかった。

母にだけは、西島広之からもらった木片を見せてもいいような気がした。が、恵理子はそれも何かためらわれた。それは、香也子の言葉が胸に残っていたからだ。香也子は、あの野点の日、西島と親しくなったといった。

「あの日ねえ、西島さんと、人の誰もいない小道にはいっていって……そのあとはご想像にまかせるわ」

そういって肩をすくめた香也子を、決して忘れてはいない。あの時恵理子は淋しかった。もう、西島と香也子の間には、はいりこむ余地のない愛が生まれたような気がした。が、一昨日の夕方、恵理子にくれた西島の木片と、その時の真剣なまなざしが、恵理子に新しい希望を与えたのだ。

それでも恵理子は、

(もしかすると、香也ちゃんとのことを相談されるかもしれない……)

と思ったりもした。西島がなんのために自分に会いたいのか、恵理子にはわからない。それのすべてがはっきりしてから、母に告げてもいいのではないか。

とにかくいまの恵理子には、あの西島広之と話ができるというだけで、幸せなのだ。この思いだけは、誰に知られなくてもいい、大事に大事に育てたいと、恵理子は思った。

買物通り公園の真ん中で、若い男女が人垣をつくっていた。中から歌声が聞こえてくる。人垣のうしろからのぞいて見ると、四、五人の若者たちがギターをかき鳴らしながら、フォークソングを歌っていた。

この買物通り公園は、旭川の楽しいメインストリートだ。駅前から一キロほどのこの通りは、何年か前までは、一日に何万台かの車の走る交通の激しい道だった。それがいまでは、噴水があり、彫刻があり、木馬があり、シーソーがあり、ベンチがある。木立があり、花壇があり、小鳥の家がある。旅人も汽車から降りて歩いてみたくなるような通りだ。四条通りを渡ると、人の背丈よりも高い、両手をかたどった彫刻があり、噴水がその指をぬらしていた。まだ約束の時間まで二十分はある。西島広之と会う彫刻公園は、この買物通り公園とクロスしている。あと二百五十メートルほど行ったところだ。

恵理子は靴屋のショーウインドーをのぞきながら、ふっと笑いたくなった。

今日、昼食のあと、恵理子はさりげなくいったのだ。

「わたし、今日どうしてもワンピースをお届けしなければならないの」

「おや、どこまでだね」

アイスクリームをなめていたツネが顔をあげた。

「あのう、川田カメラさんよ」

「川田カメラ？　ああ、あのかわいい奥さんのいる店だね。わたしが届けてあげるよ」

と、ツネがいった。ハッとする恵理子に、

「いいよ、いいよ、ついでだから届けてあげる」

押しかぶせるようにツネはいう。が、ツネの約束は三時だったので、恵理子はほっとして、

「とてもとても、三時までにはできないわ」

と逃げたのだった。

そのことを思い出して、恵理子はいま不意におかしくなったのだ。しかし、今日は口実を設けて出てきたものの、これからたびたび西島と会うことになるとしたら、いったいどのようにして家を出ることができるだろう。いまどき、ツネのような固いことをいう大人は、どこにもいないのではないか。

そう思うと、恵理子は少し気持ちが暗くなった。

喫茶店がある。画廊がある。洋品店があり、宝石の店がある。鳩が夕焼け空の下にいっせいに舞いあがり、また降りてきた。

七条通りで、恵理子は右に曲がった。彫刻公園入口と西島は書いていた。約束の場所に、まだ西島の姿はなかった。恵理子はベンチに腰をおろして西島を待った。若い二人づれが、幾組も前を通る。やがて、向かいの市役所の大時計が、七時二十分を指しても、なぜか西島

の姿は現れなかった。

三

窓からアカシヤの花の甘い香りがはいってくる。その香りが惜しくて、保子はもう夕闇が漂いはじめているのに、窓も閉めない。居間の電灯の下で保子は芍薬(しゃくやく)を青磁(せいじ)の壺に活けている。ツネは出稽古に、恵理子は仕立物を届けに出て行って、保子一人である。

「帰りは十時ごろになるかもしれないわ」

出がけにいった恵理子の言葉が、保子はふと気になった。十時ごろまで外出することなど、恵理子には滅多にない。そのことに気づかずにいた自分を、いまになっていぶかしく思う。

(わたしどうかしてるのだわ、このごろ)

呟く胸に、容一(よういち)のおだやかな笑顔が浮かぶ。かつて容一の妻であった時には感じられなかった新鮮な愛情が、別れて十年も経ったいまごろになって、こんなにも胸をときめかせている。ふしぎなものだと、保子は活け終わった芍薬をちょっと離れて眺めた。

切った葉を古新聞にまるめて籠に捨て、洗面所に立って行って、手を洗おうと蛇口をひねった。勢いよくほとばしる水に手を出そうとして、保子はふと思いとどまった。いましがた芍薬を庭で切り、水揚げをした時に、手は充分に洗っている。自分はいま、花と鋏(はさみ)、そして古新聞にふれただけだ。古新聞といっても、昨日の新聞だ。

保子は恐る恐る自分の掌を見つめた。それを返してふっくらとした手の甲を見る。その手の甲に、保子はおずおずと口をふれてみた。以前の保子には決してできないことだった。保子は、水道の水にさっと手をぬらして、手拭いで拭いた。以前なら、石鹸をつけて痛くなるほど洗ったものだ。

このあいだ、ニュー北海ホテルで容一に会った時、容一はいった。

「扶代が君よりいいところは、神経質でないことだよ。汚い汚いって、むやみやたらにいわんことだよ。しかし他の点では、君のほうが何もかも優っているさ」

その言葉を保子は深く心に受けとめて聞いた。

確かに自分の潔癖は病的だと、保子も思っている。かつて、容一が不意に保子を抱こうとした時など、保子は必ず聞いたものだ。

「あなた、手はきれい？　体はきれい？」

興ざめした容一が、くるりと背を向けて、むっつりと寝こんだ姿を保子は思い出す。容一を扶代に追いやったのは、とにかく病的な自分の潔癖さのためだった。いま容一を取り戻すためには、これを矯めなおさねばならない。その努力を、保子はこのごろ、かなり意識して努めているのだ。

（扶代さんと橋宮の間には、子供がいないんだもの）

いま、章子が結婚すれば、それで扶代の母としての勤めは立派に終わる。しかし、自分と橋宮の間には、恵理子と香也子の二人がいる。この二人を、実の両親が揃った家庭から嫁に出したいと、保子はこのごろ本気で考えている。理屈にもならぬ理屈だが、保子としては大まじめなのだ。

容一との間に十年の空白があったことが、二人の再会を新鮮なものにさせていた。小料理屋で会って以来、もう三度、保子は容一と会っている。会うたびに容一は、そっと保子の股の上に手をおいたり、肩をさりげなく抱いたりする。そして、

「別れるべきじゃなかったな、おれたちは」

と、そのたびにいうのだ。

保子は、高砂台の丘に新築したという容一の家を知らない。甥の小山田整から、その豪壮な邸宅の様子は聞いている。

「叔母さん、一度行ってみな。高砂台一大きな家を探せば、それが叔父さんの家だから。何せ今年はね、庭にプールをつくるんだってさ。それと、吹きぬけの、六畳ほどの小鳥の部屋をつくるんだってさ。馬鹿馬鹿しい。沢におりたら、きれいな流れはあるし、あの丘は小鳥の楽園だのにね。しかしそれもこれも、かわいい香也子姫の所望とあらば、いたしか

たがござらぬというところさ」

香也子のためにプールをつくってやるのも、小鳥の部屋をつくってやるのもいい。しかし、その豪奢な邸宅の主の妻が、この自分ではなくて扶代だということが、保子はどうにも承服し難い思いになってきているのだ。

自分で勝手に出て……という思いもないではないが、容一に会うたびに、保子は一度捨てた妻の座を、なんとしてでも奪い返したい思いが強くなっている。

活け終わった壺を、玄関にしつらえた小さな床に保子は運んで行った。壺と同じ青いきものが、保子の白い肌によく合っている。もう一度確かめるように花を見つめて、満足げにうなずいた時、いきなりからりと玄関の戸があいた。

四

「あら……」

ツネかと思って「お帰りなさい」といいかけた保子は、ハッと息をのんだ。ピンクのスーツを着た香也子が、ニコッと笑ってはいってきた。スイトピーの花のようだ。あの野点の席にきた時の険しさはどこにもない。

声とも息ともつかぬ声で、保子はまじまじと香也子を見つめた。

「お晩です」

子供っぽく、ぴょこりと頭を下げて、香也子は母の保子を見た。

「香也ちゃん、あんた……」

思わず保子は手をとった。小さな手が保子の手の中に頼りなく包まれた。

「一人で?」

香也子は大きくうなずいた。五、六歳の幼女のようなうなずき方だった。

「よくきたわねえ、香也ちゃん」

一瞬保子は、上げるべきか否かと迷った。祖母のツネがそろそろ帰る時間なのだ。香也子からツネ宛に、茶を習いたいという便りがきていたとはいうものの、それに対して、ツネは必ずしも歓迎するとはいっていない。

いいや、それだけなら保子は迷わなかった。いますぐツネが帰ってきたとしても、すでに便りがきている以上、ツネは強く咎めることができないにちがいない。保子がためらったのは、容一と恵理子がニュー北海ホテルで会い、その場に自分も行っていたことを、香也子に知られているからだ。

香也子は、そのことがツネには内緒だということを知らないはずだ。うっかり口をすべらせたならば、必ずツネは、激しく保子を罵（ののし）るにちがいない。

「うちは三人水入らずなんだからね、内緒だけはしないでおくれよ」

ツネは、そういって今日も出かけたのだ。保子は覚悟を決めていった。

「本当によくきたわ、香也ちゃん。さ、お上がんなさいよ」

「いいんですか、はいって?」

香也子はニコッと笑った。その笑顔の中に、別れた十歳の頃の香也子の面影が鮮やかに甦った。保子は涙声になって、

「いいですとも、香也ちゃん……ここは、あんたの……お母さんの家じゃないの」

手をとられるままに、香也子は保子に従った。

「きれいね、ずいぶん」

香也子はぐるりと居間の中を見まわした。水彩の旭岳（あさひだけ）の絵が壁にかけてあるだけの、すっきりとした和室だ。香也子の家のように、ソファーもなければ、花瓶や人形を飾る飾り棚もない。カラーテレビはあるが、香也子の家のものよりずっと小さい。が、いかにも掃き清め、拭き清められたという部屋に、香也子は記憶があった。それは、幼い頃のわが家のふんいきと同じだった。家の中すべて、どの部屋も、空気さえ張りつめておかれてあるような、そんな感じの清潔な家。香也子は黙って保子を見た。幼い頃のあの家に、姉の古着を着た自分の姿が甦った。それは、驕慢（きょうまん）な香也子には、屈辱的な思い出だった。

まじまじと保子を見つめながら、香也子はたちまち空々しい気持ちになった。母を全く懐かしくなかったのではない。母が恋しくてしくしく泣いたことも、この十年間には幾度もあった。今日も、ここを訪ねるまで、どんなに保子が懐かしかったことだろう。

「あんな母さんに会いたくない」

この十年、幾度この言葉を口に出してきたことか。口に出すたび、本当に自分は、自分を置いて行った母には決して会うまいと思ってきた。それが今日は、むやみに懐かしかった。

今日の夕方、早めに食事を終えた扶代と章子は、キッチンで大きな声で話していた。居間のソファーにすわって、香也子はその話を聞いていた。

「どの服を着て行くの、章子」

「服じゃなくて、きもの着たいのよ、お母さん。このあいだつくった単(ひとえ)の……ね、いいでしょう、お母さん」

「ああきもの、それはいいわね」

「政夫(まさお)さん、笑わないかしら」

「喜びますよ。章子はきものが似合いますよ。気性がおとなしいから」

「そう、うれしいわ」

　章子はうきうきといい、

「じゃわたし、顔を洗うから、お母さんきもの着せてね」

「ハイハイ、耳のうしろをよく洗うのよ」

「うん。ね、お母さん、政夫さんにパウンドケーキだけでいいかしら？」

「いいでしょう。パウンドケーキはお前の手づくりだから、お母さんはそれだけでいいと思うけどね」

　夕食の後片づけを終わった二人はキッチンを出て行った。容一の用事で、お手伝いの絹(きぬ)子(こ)は外出していた。ソファーにすわっていた香也子の耳に、いまの二人の、ごく当たり前の会話が、ひどく羨ましく思われた。

章子は、一日に幾度となく「お母さん」といい、扶代もまた章子に対する時、自分自身を「お母さん」という。香也子には決して呼ぶことのできない「お母さん」という呼び名が、二人の間では、ふんだんに使われているのだ。

(わたしにだってお母さんはいる)

香也子は台所に行って、冷蔵庫をあけた。昨夜焼いたパウンドケーキが、アルミ箔に包まれてはいっている。素早くそれをつかむと、香也子は自分の部屋に駆け上がり、ピンクのスーツに着かえて外にとびだしたのだった。

パウンドケーキをつくったのは章子だが、家の中のすべてのものは容一のものだ。このケーキを金井(かない)政夫にやるぐらいなら、自分の母の保子にやったほうがいい。そう思って、香也子は持って出たのだ。

だが、いま目の前に見る保子は、自分の母でありながら、もはや自分の母ではなかった。

「どの服を着て行くの、章子?」

「お母さんきもの着せてね」

「耳のうしろをよく洗うのよ」

扶代と章子の会話を、香也子は思った。あのなんのこだわりもない会話は、自分たち母と子にはすでに失われたものだった。

離れていた十年の歳月は長過ぎた。母でありながら、母としてなじむことのできぬ違和感が、いま、香也子の胸に次第に広がっていた。その違和感は保子の側にもあった。離れていては、いいようもなく愛らしい香也子なのに、こうして面と向かうと、そのどこかに拒絶を感じた。それは、香也子が保子に感ずるよりも、ずっと少なくはあったが、しかし違和感にはちがいなかった。

「ほんとに、大きくなったわねえ」

しみじみと眺めながら、香也子の生まれた夜のことを、保子は思い出す。香也子の泣き声は、生まれた時から妙にかん高かった。恵理子とはちがっていた。そのかん高い泣き声が、保子の疲れた耳に、いつも突き刺さるように感じたものだ。保子はそのことに、いまもうしろめたさを感じている。

そんなことを思い出させる何かが、香也子にはあった。保子はやはりホテルで会ったことは、ツネにいわないように香也子に口どめすべきだと思った。

「あのう……」

いい出そうとした時、香也子が尋ねた。

「おばあちゃんは、いないんですか」

ひどく乾いた語調だった。何年ぶりかで、母に向かう子供の声ではなかった。

「ああ、おばあちゃんねえ、もうじき帰るはずよ。お稽古に新町まで行ったの」

「お元気なんですね。出稽古って、おいくらなんですか」

保子はちょっと目を見張った。見知らぬ女の子と話しているような気がした。

「さあ、わからないけど……香也ちゃん、おばあちゃんにお弟子入りしたいって、お便りくれたわねえ」

「ええ。でも、わたし、月謝を払わなければならないのでしょう。おいくらかしら」

どうしてこの子は金のことばかりいうのかと、保子は淋しかった。

「ね、香也ちゃん、そんなこと気にしないでいいのよ」

「え？　じゃ、ただにしてくれるの？」

「何をいってるのよ。あなた、おばあちゃんの孫じゃありませんか」

「そうよねえ、わたしもそうは思ったんだけど。でもあのおばあちゃん、ちゃっかりしてるでしょ。わたしからだって、お月謝取りそうな気がしたの。でも、こんなこといったなんて、内緒よ」

茶目っぽく笑って、目をくるりとさせた香也子に、

（ああ、よくこんな顔をしたものだった）

と、またしても保子は胸を揺さぶられる。

「ねえ、香也ちゃん。こないだホテルで恵理子に会ったんだって？」

「会ったわ。それがどうかしたんですか？」

　不意に断ち切るようないい方をする。話の接ぎ穂に困っていると、

「ねえ、わたし、昨日、うちでばらしたの」

「え？　ばらした？」

「そうなの。お父さんが、こっちのうちと食事をしていたこと、あのつれ子の章子さんの前で、いってやったの。わたし、胸がスーッとしたわ」

「まあ！　どうしてそんなことをいったの」

「どうしてって、わたし、つまらないんだもの。あの人たちの幸せそうな顔を見ていたら、何かいらいらしてくるの」

「そんなこといっちゃいけないわよ、香也ちゃん。人の幸せを願わなくちゃいけないと思うわ、お母さんは」

　冷蔵庫から苺を出してきた保子は、母親らしくたしなめた。

「へえ!?　人の幸せを願わなくちゃいけないって？」

　不意に香也子は皮肉な微笑を浮かべた。口が歪(ゆが)んでひどく意地悪な表情になった。

「そうよ香也ちゃん、人の幸せを願わなくっちゃ……」

「そう、じゃあ、わたしの幸せを願って、置き去りにして出たというの」

「香也ちゃん！」

「そしてお父さんの幸せを願って別れたというの？」

「………」

「人の幸せを願うって、つまりそういうことをすればいいのね。わかったわ、そのとおりにするわ。誰の間でも引き裂けばいいんでしょ、結局は」

　鼻先で香也子は笑っていた。

「香也ちゃん……」

　保子はうなだれた。まだ自分の胸ほどの背丈だった十歳の香也子が、いつのまにこんなにしたたかな娘に変わってしまったのだろう。いつか恵理子の新しいスカートをずたずたに切り裂いた香也子を、不意に保子は思い出した。

「香也ちゃん、お母さんが悪かったわ。でもそれにはわけがあったのよ」

「そりゃあ、わけがあったでしょ。わけも何もなくて、べろっと出て行く馬鹿はないわ。でもね、出て行ったほうにはわけがあっても、置き去りにされたわたしには、なんのわけもないのよ」

「………」

「自分勝手よ、生んでおいて、途中で放り出して！　わけがあったのよもないわ。わたしの一生は二度とくり返せないのよ。何よ、少しぐらいのこと我慢できずに、人の幸せを願わなければいけないわなんて、馬鹿にしてるわ」

「香也ちゃん……香也ちゃん。お母さんが悪かった。なんといわれても仕方がないわ」

いい終わらぬうちに、玄関の戸があき、ツネの声がした。

五

ツネの声を玄関に聞いた保子は、ハッと香也子を見つめた。いまいったばかりの香也子の言葉が、がんがんと耳に鳴る。

「自分勝手よ、生んでおいて、途中で放り出して！　わたしの一生は二度とくり返せないのよ」

いきり立っている香也子は、恵理子と自分が、容一とホテルで食事したことを、必ずやツネに告げるにちがいない。色を失っておろおろと立ち上がった保子より先に、香也子はパッと立ち上がった。

と、玄関に飛び出して行き、

「おばあちゃん、わたし香也子よ」

と、下駄箱に草履をしまったツネの肩に抱きついた。

「香也子!?」

抱きつかれて、よろけそうになりながら、ツネは驚きの声を上げた。

「そうよ、香也子よ。会いたかったわ、おばあちゃん」

半泣きになって香也子はしがみつく。ツネは目をくもらせながら、香也子の背をなで、

「よくきた、よくきた、大きくなったねえ」

と、やさしく香也子を抱きよせた。

「おばあちゃん、手紙を見てくれた?」

二人はもつれあうようにして、居間にはいってきた。

「ああ、見たとも見たとも」

「じゃ、お茶を教えてくれるのね」

「それがだよ……ま、ちょっとお待ちよ。だけど、ほんとに大きくなったねえ、こんなに小ちゃかったのに」

ツネは自分の腰あたりの高さを手で示し、

「保子、やっぱり血を分けてるって、かわいいもんだねえ」

と、いつにないことをいう。

「ええ、そりゃあ……」

保子はおろおろとして、答えもできない。

「おばあちゃん、お久しぶりです」

居間にすわって、香也子は行儀よく両手をついてお辞儀をした。

「ほんとにねえ、よくきたねえ。十年たったんだものねえ」

保子はハラハラとしながら、

「お母さん、ご飯にしますか」

と、ツネを盗み見る。

「あ、ご飯はいいよ。五十嵐さんでおすしをいただいてきたから」

「じゃ、着更えたら」

帰宅したら、すぐに着更えるのがツネの長年の習慣だ。が、ツネは首を横にふって、

「香也子がきたんだもの、ま、落ちついて……何かい、苺しかなかったのかい？　確かお干菓子があったはずだよ」

と、改めて香也子の顔をまじまじと見た。

「ね、おばあちゃん、わたし、なにもいらないわ。胸がいっぱいなの。いまね、わたし悲しかったのよ、せっかくお母さんのところにきたのに……」

と、香也子は保子を見た。保子はひやりとした。

「お母さんったらね、おばあちゃん。お前はこの家に出入りしちゃいけないって。もうお父さんとお母さんは別れたんだから、おばあちゃんにお茶なんか習っちゃいけないって、わたしを帰そう帰そうとするのよ」

保子は驚いて香也子を見た。そんな話をただの一度もしていない。が、香也子がそういってくれると、保子の立場が救われる。

「……そうかね……」

ツネは何か考えているようだったが、

「香也子、大人の世界って面倒でねえ。そりゃあねえ、こうやっておばあちゃんのところにきてくれたら、おばあちゃんだってうれしいよ。でもね、お母さんとお前のお父さんは、十年も前に別れたんだからね。それに、お父さんがまだ独りならともかく、あとにもらった人がいる以上……お前をここに出入りさせては、どんなものかねえ」

「おばあちゃん、そんなことといっちゃいや。わたし、お母さんの子供なんだもの、そしておばあちゃんの孫なんだもの。そりゃあお父さんとお母さんは別れたかもしれないけど、わたしはお母さんと別れた覚えはないのよ」

「そりゃあそうだ。しかしねえ……」

香也子はにじりよると、ツネの膝をゆすって甘えるようにいった。

「お姉さんばっかり、おばあちゃんやお母さんと一緒にいられて、わたしばっかり他人の中にいるなんて、不公平じゃないの、おばあちゃん」

「他人の中といったって、お父さんがいるじゃないか」

「お父さんなんか、朝出たら、夜まで帰ってこないの。昼は、わたし他人といるのよ。あの親子は、二人でばっかり仲よくして、わたしいつも、しょぼんとしているのよ」

「ほんとかね」

「ほんとうよ、おばあちゃん。女三人いて、そのうち二人がほんとうの親子で、わたしだけ血がつながっていなけりゃ、他人扱いにされるのは当たり前でしょ」

　香也子は目に涙を浮かべた。

「なるほどねえ」

「ね、おばあちゃん。もう一度、お母さん、橋宮の家に帰ってこない？」

「そりゃあ、無理だよ香也子。猫の子じゃあるまいし、そう簡単に出たりはいったりできないからねえ」

　香也子は素直にうなずいて、

「それもそうね。だったら、わたしをこの家においてくれない？」

「お前、そんなにあの家がいやかい？」

「いやよ、冷たい氷の家みたいなの。わたし、おばあちゃんに抱かれて眠りたいわ。おばあちゃんはお父さんより、ずっと頼り甲斐があるみたい」

　香也子の言葉を、保子は舌をまいて聞いていた。自分が腹を痛めて生んだ子ながら、得体の知れない人間のような気がした。こんな香也子にいったい誰がしたのだろう。自分に置き去りにされた香也子の十年間に、保子は重い責任を感じた。

「どうしたもんだろうね、保子。かわいそうにねえ。よほど思いあまってきたんだろうからねえ」

「そうよ、おばあちゃん、わたしをここの家の子供にしてくれない？　わたしここの家の子供なんだもの」

　保子の答えるより早く香也子がいった。

「そうしてやりたいのは山々だけれどねえ」

「じゃ、お茶だけでも教えてくれない？」

「それはいいよ。いいけれど香也子、お前、ますますいまのおっかさんにいじめられやしないかい？」

「いいの、いじめられても。ここにくれば楽しいでしょ。楽しい日が月に何日かあれば、わたし耐えて行けるわ」

　ひどく健気な言葉に聞こえた。

「どうしようかねえ、保子。お前黙ってばかりいないで、なんとかいったらどうだね」

「お母さん、お母さんはわたしの思ったとおりにさせてくださるの？」

保子はようやく落ちつきを取り戻し、皮肉な微笑を浮かべた。

「そりゃお前……」

ツネは平生いっていることとちがう自分に気づいて、笑ってごまかした。ツネはよくいうのだ。

「香也子と会ったりしちゃいけないよ。香也子と会ったりしているうちに、必ず橋宮とよりを戻すんだから」

笑ってごまかすツネに、保子はいう。

「お母さん、わたしは何より香也子の気持ちを大事にしてやりたいと思います。お母さんさえその気になってくだされば、お茶ぐらい教えたっていいじゃありませんか」

「そうだねえ……ま、少し考えてみようかねえ。お茶はとにかく、香也子、時々は遊びにきてもいいよ」

「うれしい！」

叫んで、香也子はツネに抱きついた。

帰りぎわに香也子は、パウンドケーキを差し出していった。

「これ、手作りなの。おばあちゃん、お母さんやお姉さんと一緒に食べてね」

ツネは目をうるませた。

六

　章子は着物に着更えて、キッチンの冷蔵庫をあけた。卵やチーズやバターが整然と並んでいるだけで、確かにさきほどあったパウンドケーキがない。テーブルの上に出したのかと思ったが、テーブルにもない。

「戸棚の中かしら？」

　独り言をいいながら、戸棚をあけてみた。が、そこにもない。もしかしたら、自分の部屋に持って上がったのだったかもしれないと、章子は自分の部屋に戻って電灯を点けてみた。が、八畳の章子の部屋はきれいにかたづいていて、畳の上にも、片隅の朱色の文机(ふづくえ)の上にも、桐のタンスの上にも、鏡台の上にも、パウンドケーキらしいものはない。

　再びキッチンに行くと、いましがた使いから帰ったばかりのお手伝いの絹子がいた。

「あのう……絹ちゃん、わたしのつくったパウンドケーキ知らない？」

「パウンドケーキ？　昨夜から、冷蔵庫にはいってましたけど……」

　いぶかしげに答える絹子に、

「それがないのよ。確か、さっきまであったと思うんだけど……」

「じゃ……」

　わかったというような表情で、

「香也子さんじゃありませんか」

　と、絹子は声をひそめた。

「まさか」

　打ち消したが、実は章子も、内心香也子ではないかと疑っていた。

「でも……香也子さんは、わたしが今日パウンドケーキを金井さんに持って行くこと、知ってるのよ」

「知ってらっしゃれば、なおのことですよ、章子さん。香也子さんのお部屋に行ってごらんなさい」

　まだ誰も、今夜香也子が外出していることを知らない。章子は、あるいは香也子がいたずらをしたのかもしれないと思ってみた。ちょっとためらったが、章子は思い切って香也子の部屋に上がって行った。

　ノックをしたが返事がない。香也子は時々返事をしないことがある。章子は少しきっとなってドアをあけた。電灯が点けっ放しになっていて、部屋に香也子の姿はなかった。鏡台の前のジュータンに、ちり紙が一枚落ちていた。章子はドアをしめた。

（やっぱり香也子さんだわ）

香也子がパウンドケーキを持って外出したにちがいないと、自分の部屋に走った。部屋にはいると戸をしめて、章子は文机の前にぺたりとすわった。そこに扶代が顔を出し、

「あら、どうしたの、まだ行かなかったの？」

「お母さん、パウンドケーキがないのよ。香也子さんがいないのよ。きっとあの人が持って行ったのよ」

ふだんに似合わぬけわしい顔で章子はふり返った。

「章子、そんな……」

娘の表情に驚きながらも、扶代はおだやかにたしなめながら傍にすわった。

「いいえ、そうよ。あの人はそういう人よ。あの人は、意地悪をすることに喜びをもって生きている人なのよ。そのくらいのこと、お母さんだって、とうにわかってるでしょ」

「そんなことといっちゃ、章子らしくないわ。香也ちゃんは香也ちゃんで、淋しいこともあるのよ。パウンドケーキの一本や二本、いいじゃないの、章子」

「いいえお母さん、よくないわ。あのケーキは、わたしが政夫さんのために、心をこめてつくったのよ。わたしの心なのよ。そのことは、香也子さんだって、よく知ってることよ。知っていて持ち出したことは……」

「持ち出したかどうか、まだわからないことじゃないの、章子」

「いいえ、あの人に決まってるわ。パウンドケーキがひとりでなくなるわけがないじゃないの。とにかくそんなひどいことをする人は、この家にあの人しかいないわよ。わたしもう、我慢ができないわ。ね、お母さん、この家を二人で出ましょうよ」

　青ざめた顔を、章子は必死になって扶代に向ける。

「章子！　この家を出るなんて……」

「わたしはもう、一日もいやよ。お母さんはどうしていやじゃないの。あんな小娘に見下げられて、なめられて、意地悪されて、それで何がうれしいの」

　口がひくひくとふるえる。

「章子、気を静めなさいね。お前はもう、半年もしないうちにお嫁に行くのよ。出るも出ないもないじゃないの」

「いやよお母さん、わたし、もう一日も我慢ができないわ。こう思ったのは、何も今日がはじめてじゃないわ。わたしあの人に、意地悪をされどおしよ。わたしのほうが年上よ。なぜじっと我慢していなければならないの。お父さんとお母さんは、立派な夫婦じゃないの。何も、変に遠慮することなんかないわ」

　扶代は淋しく笑って、

「もう少しの辛抱よ。香也ちゃんだって、そのうちにお嫁に行くわ。そうしたらお父さんとお母さんの二人だけになるんだもの。何もあわててこの家を出て行くことはないのよ」

「………」

「章子だって、ここにいれば橋宮家の娘として、立派にお嫁入りできるのよ」

「お母さん、わたし、橋宮家の娘でなくて結構よ」

「そんな無茶な……お仕度だって、お父さんが立派にしてくれるじゃないの」

「きものや道具なんて、わたしいらない」

章子の声がうるんだ。

「そんなこといわないで、ね、機嫌をなおして金井さんのところへいらっしゃい」

章子は時計を見た。約束の時間まで、まだ十五分ある。

「お母さん、お母さんは何も知らないからそんなのんきなことをいってるのよ」

思い切ったように章子はいった。

「何も知らない？　なんのこと、それ」

「………」

章子は唇を噛んだ。昨夜香也子が、金井政夫にかけていた電話を、母に告げるべきかどうかと迷った。

「ね、何も知らないって、どんなことなの?」

　おだやかだが、気がかりな表情でいう。章子は顔をあげ、じっと扶代の顔を見つめながら、

「お母さん、昨日ね、香也ちゃんがひそひそと、金井さんに電話をかけていたわ。あのね、お母さん。お父さんがね、別れた香也ちゃんのお母さんやお姉さんと、楽しそうに食事をしていたっていうことよ」

「まさか、お父さんはそんな人ではありませんよ、章子」

「でも、お父さんだって人間よ。香也ちゃんはそのことで、金井さんに相談があるとかなんとかいってたわ」

「そんなこと、でたらめよ。香也ちゃんは時々、心にもないでたらめをいうからね」

　いいながらも、扶代は少し不安げにまばたきをした。

「でも、そこまで嘘をいうとは思わないわ」

「でもね章子、お父さんはこの十年の間、いっさいあちらの家とは縁を切っていたのよ。それをいまになって……」

　扶代は、寝物語に容一から聞かされた保子の潔癖ぶりを思い出した。

「全く、あんな女はかなわないよ。息がつまりそうだ。何せ、便所から出たら、十分も二十分も手を洗ってる奴だからな。それにくらべると、お前は全く心の安まるいい女房だ」

容一はそういいつづけてきたのだ。第一、外食もろくにできぬほどの潔癖な保子と、そう簡単に食事などできるわけがない。扶代はそう思って安心した。

章子は化粧をなおして、和服姿を鏡に写し、バッグを持って立ち上がった。が、うしろをふり返って扶代にいった。

「お母さん、どうして奥さんのいる人となんか、仲よくなってしまったの。どうして死んだお父さんだけのことを考えて、わたしと二人だけで暮らしていけなかったの?」

きびしい語調でいい捨てると、章子はさっと廊下に出た。

七

母の保子の家を出た香也子は、ひとりくすくすと笑った。章子の手作りのパウンドケーキを、自分の手作りのようにいって祖母のツネに渡すと、ツネは目尻に涙をためて喜んだのだ。

(大人なんて、甘いもんだわ)

香也子はアカシヤの花の匂う夜道を、小川に沿って歩いて行く。川向こうの工場に夜業の灯があかあかと美しい。一本立った水銀灯が小川の中に青くゆらめいている。

(これでお母さんの家にも、大威張りで出入りできるわ)

要するに、あの頑固な祖母を懐柔すればよいのだと、香也子はひそかに笑う。

それにしても、母の保子を香也子は許せない気がした。わが子の幸せよりも、自分のことばかり考えていると思う。

(何よ、子供を捨てってって)

今夜は、ホテルでの会食のことはツネには告げ口しなかった。が、いつかは必ず母を窮地に追いやってやるのだと、香也子は心に決めた。今夜の保子にくらべれば、義理の母の扶代のほうが、説教めいたことをいわないだけに香也子にとってははるかに快い存在だ。

人通りのない夜道を、バス通りに向かって、香也子はゆっくりと歩いて行く。まだ九時半だ。香也子は心のたかぶりを静めるように川に沿って歩いて行く。

(章子の奴、きっと怒ってるわ)

フィアンセの金井政夫のためにつくったパウンドケーキを、香也子が持ち出したといって、怒っている章子を思うと、香也子はうれしくなった。いつも控えめに、おだやかに、なんの表情も見せない章子を、香也子は憎んでいた。それは章子が表情を顔に表さないからか、母の扶代といつもむつまじく暮らしているからか、香也子はわからない。その両方に香也子は腹を立てているのかもしれない。とにかく、人を怒らせることは、香也子にとって楽しいゲームであった。

自分の言葉が、相手の胸に針のように刺さるのが、何よりも香也子を溌剌とさせた。自分という人間がいるために、他の人間が不幸になる。そのことが香也子のいちばん大きな喜びなのだ。香也子自身が幸せでないのに、他の人間が幸せであるというのは、香也子にとって許せないことだった。

二百メートルほど歩いた時だった。人通りのない道に黒い二つの影がはいってきた。香也子はハッと立ちどまった。香也子はさりげなく、左手の家の車庫の陰にかくれた。その香也子には気づかずに、二つの影は近づいてきた。香也子は息をひそめて、道を行く二人を見守った。やはり恵理子と、そして西島広之だった。

「ぼくにはその気持ちわかるなあ」

西島の言葉が、香也子の神経を逆なでた。とっさに香也子は、二人のあとを尾けようと思った。あと二百メートルほどで、恵理子の家だ。そこで二人は別れるだろうか。

(きっと、まだまだ二人で歩くつもりだわ)

香也子は腹だたしげに舌打ちをした。

「あなたの気持ちはよくわかるなあ」

そんなことをいってくれる男性など、香也子にはいない。たいていの男性は、

「君の気持ちは分からない」

と、必ずいう。だから、いまの一言は、香也子にとっていいようもなく腹だたしいものだった。

(人の気持ちなんか、わかるはずないわ)

香也子はそう固く信じている。口と腹の中がちがうのが人間ではないか。父の容一にしたってそうだ。

「香也子は目にいれても痛くない」

などといいながら、陰でこっそり、別れた母や姉と食事をしている。つまりは、口ほどに自分を愛してはいないのだと思う。

香也子は二十メートルほど離れて、ひっそりと恵理子と西島のあとを追った。二人はむつまじげに肩を並べて歩いて行く。二人は黒住教の社殿のある角にきた。二人が立ちどまった。香也子も立ちどまった。あそこで西島は左に橋を渡り、恵理子はまっすぐ歩いて行くつもりだろうか。

西島が腕時計を見たようだった。と、二人は右手に折れた。

(やっぱり……)

香也子は急ぎ足になった。香也子はむらむらとした。いまごろ、章子も金井政夫とどこかで会っているはずだ。そして恵理子も、西島広之と楽しげに歩いて行く。香也子にはそれが許せなかった。

平生、香也子は、自分から求めて恋人をつくりたいという願いはなかった。男と女が愛し合うということは、香也子には納得のできないことだった。他の恋人たちの姿を見ていると、いつのまにか別れたり、捨てられたり、また次の相手ができていたりする。そんな姿を見ていると、まじめに人を愛する気など、香也子には起こらなかった。

だがそのくせ、自分の友だちや身近な者が愛し合っているのを見ると、なぜかむらむらとして、その男を奪いたくなるのだ。つまり、自分からは人を愛さないが、人のものを見れば、むやみに取りたくなるのだ。

そしてそれは、奪うだけが目的だった。奪いさえすればいいのだ。二人の仲を引きさきさえすれば愉快なのだ。あとあとまでその男を自分のものにしたいなどと、つゆ思ったことがない。

高校時代も、短大時代も、香也子は何人かの友人の恋愛を引きさいてきた。それは必ずしも相手の男と知り合う必要はなかった。香也子は友人のところに、声色を使って電話をかけた。

「わたしという女がいるのよ。あの人と親しくすることはやめてください」

そんな電話を二、三度かければ、友人たちはたいてい、相手の男性を疑って悩みだす。それを見ると香也子は腹を抱えて笑いたくなるのだ。

また、こういう手を使うこともあった。

「あなたの彼氏、すてきな人と歩いているのを見たわ。気をつけるといいわ」

この一言で、友人たちは顔色を変える。するとふしぎにその愛は壊れていくのだ。いまの時代、恋人以外の女友だちをもっていない男はいない。だから、すてきな女性と歩いていたという言葉は、決して香也子の嘘にはならなかった。

（人間と人間とのつながりなんて、もろいものだわ）

香也子はそう思っている。たった一、二度の中傷で、お互いの間に亀裂が生ずるのだ。それは見ていて呆気ないほどだ。愛とか信頼とかいう言葉は、香也子の辞典にはなかった。

いま、夜の児童公園の中にはいって行く西島と恵理子の姿を追いながら、香也子の目は獲物を狙う鷹のように光っていた。

八

香也子があとを尾けているなどとは、恵理子も西島も、夢にも思わない。西島は今日、約束の時間より四十分も遅れて、彫刻公園にやってきた。それまでの間、恵理子はじっとベンチにすわって待っていたのだ。恵理子は、たとえ西島がこなくとも、二時間は待つつもりだった。約束を西島が反故にするとは思えなかったからだ。

人生には思わぬ障害が突如として発生すると、恵理子は思っている。自分の人生ひとつ考えても、父母の離婚は想像もしなかったことだ。そのように、想像もしなかったことが、突如として行く手に立ちふさがる。これが人生なのだ、と恵理子は考えている。

毎朝テレビの番組を見ていてさえ、恵理子はふっと疑問に思うことがある。このプログラムどおりに、分秒たがわず一日が過ぎるということが、奇怪に思われるのだ。突如として大事件が起こり、このプログラムさえ変更になるということはいくらもあるはずだ。ましてや自分たちの毎日の生活が、必ず予定通りに進むなどとはいえないはずなのだ。

恵理子にしても、今日仕立てあげるはずのドレスが、明日になることはいくらでもある。母に思わぬ用事をいいつけられたり、突然の来客があったり、意外に体が疲れたりすることがあるからだ。

西島広之は会社勤めだ。会社の仕事が、いつどんなふうに変更され、時間どおりに帰れなくなるかわからないはずだ。そのうえ、交通事故ということもあるし、身内に突然病人が出ることもある。

とにかく、西島が約束を反故にしたとは思えない。そう思えば、恵理子は何時間でも、そこで待っていることができた。その場から立ち去ることは、西島を信じていないようで、恵理子にはできなかった。

一度も話し合ったことはなくても、恵理子には西島を信ずることができた。川を隔てた向こうにいる西島と、初めて顔を合わせた日から、なぜか恵理子には西島は信じ得る男性であった。そして、西島が約束の日時を書いてほうってくれた木片に丹念に彫られた小鳥の形にも、西島の真実が現れているような気がした。

約束の時間より、四十分過ぎて駆けつけた西島は、そこに恵理子の姿を見て、感動していった。

「まだ待っていてくれたんですか」

西島は案の定、突然仕事のことで社長の相談を受け、時間までにくることができなかったのだ。

二時間は待つつもりだったと聞かされた西島は、

「そうですか、そういう人がこの世にいるとは、ぼくは想像もしませんでしたよ」

と感嘆した。西島の遅刻は、かえって二人の心を急速に近づけた。

今夜二人は、街でお茶を飲み、お互いの家庭のことや仕事のことなどを語り合った。が、話題の中心は香也子の問題だった。香也子が、旭山（あさひやま）での茶会のあと、西島に頼んだのだ。

「お姉さんとわたし、昔どおり仲よしにさせてください」

それを西島から聞いた時、恵理子はいった。

「まあ！　そんなことを初めての方におねがいしたんですか。でも、もう香也子とはもとどおりの仲になれると思いますわ」

ホテルで会った時の事を恵理子は告げた。

いま、二人はまた、話を香也子のうえに戻していた。

「あの子は、人なつっこいでしょう。あなたに何かご迷惑をおかけしなかったかしら？」

「そんなことはありませんよ」

答えながら西島は、香也子がこの恵理子とは全くちがった性格であることを思っていた。

あの日旭山（あさひやま）で、香也子は、

「……いやだわわたし、西島さんのこと好きになるかもしれないわ」

と妖しく目を光らせたり、

「わたし、こんな人けのない道を、男の人と歩くのははじめてよ。すごくロマンチックだわ、恋人と歩いているみたい」

などと、男の気を引く言葉を初対面の西島にいったりしたのだ。

恵理子もまた、香也子がいった言葉を思い出していた。

西島は香也子のボーイフレンドになったといった。そして、

「二人で、人けのない頂上の小道を歩いて行って……あとはご想像にまかせるわ」

と、香也子は無邪気に肩をすくめて見せたのだった。

その後、幾度か西島に会っているのだろうか、恵理子は気になっていた。恐らくボーイフレンドという以上、幾度か会っているにちがいない。そしてまた恵理子は、いつか見た西島と、若い女性のうしろ姿を思い浮かべた。二人は、恵理子の家の向こう岸を、並んで歩いて行ったのだ。あれはいったい誰なのか、聞きたいことは恵理子にはたくさんあった。が、今日はじめて話し合った西島に、それは聞けることではなかった。その時、西島がいった。

「恵理子さん、今度、ぼくのデザインした製品を見てくれませんか。北島センターのショールームにも川村木工のショールームにも、ぼくの作品がいくつかありますよ」

北島センターと川村木工のショールームが、木工団地内にあった。立派なビルの中に、この木工団地でできるタンス、机、ソファー、戸棚、飾り棚、その他多くの製品が、デパートの家具売り場のように、美しく並べられていた。

「拝見させていただきたいわ」

「あなたなら、わかってくれるような気がするんですよ。あなたは、洋裁師だ。いってみれば、洋服のデザイナーでしょう。デザイナーには共通の苦しみと喜びがあると思うんですよ」

「そうかもしれませんわね。でも、家具のデザインのほうが、ずっとむずかしそうですわね」

夜の児童公園には、片隅に水銀灯が青く光っているだけで、ここにも人影はなかった。柳が水銀灯の光を受けて、造花の葉のような色を見せている。ブランコ、シーソー、コンクリートのジャングルなどが、ひっそりと静まりかえっている。きらりと青い目を光らせて、猫が二人の傍を走り去った。

「恵理子さん」

ブランコの傍にきて、西島は立ちどまった。

「…………？」

恵理子は西島を見た。西島はブランコに腰をおろし、恵理子も並んで隣のブランコに腰かけた。西島はブランコを軽く動かしながらいった。

「ぼくは今日、すごくうれしいんです」

「なぜですの」

「あなたが、遅れたぼくを四十分も待っててくれたからです。しかも、二時間も待つつもりだったといってくださったこと……こんなにうれしいことって、いままでなかったような気がするんです」

「………」

「これは本当に、驚くべきことですよ、ぼくにとっては。そして、そのことでぼくは、自分の仕事に示唆を受けたような気がするんです」

西島は地に足をつけてブランコをとめた。

「まあ？　お仕事に」

「そうです。ぼくはともすれば、いいものをつくりたいと思うあまりに焦っていたような気がするんです。しかしぼくは、ひとつのものを生み出すのに、時間をかけて待つということを今夜知らされたような気がするんです。頭の中に何かひらめくでしょう。するとすぐに、ぼくはそれを製品にしてしまいたいと思う。そりゃあ、デザイナーにとってひらめきは大事だけれど、しかし時間をかけて、かもしだすことも大事なんじゃないか。かもしだされたものには、単なるひらめきによって作ったものとは、ちがったものがあるはずですよね。

そのためには待つという時間が必要なんです。電子レンジでは、本当の味が出ないでしょう。時間をかけて煮るということが、料理には必要でしょう。家具だって同じですよ。そう思うとね、ぼくはあなたにたくさんお礼をいわなければならないような気がして……」

西島はブランコから降りて立った。恵理子はブランコに腰をおろしたまま西島を見上げた。

「恵理子さん、今日本当にすみませんでした。ぼくは木の板に小鳥を彫り、あなたのお気持ちやご都合を無視して、一方的にあんな失礼して……」

「いいえ、あの彫られた小鳥を見ると、あなたのたくさんの言葉が語られているような気がしましたわ」

「本当ですか、恵理子さん。ありがとう。じゃ、今度の土曜日の午後、北島さんのショールームの一階で待っていてくださいますか」

「次の土曜日ね。午後三時ごろなら……。西島さんのデザインをぜひみせていただきたいわ」

「ありがとう。じゃ、もう十時ですね。おうちまでお送りしましょうか」

「いいえ。うちの祖母にも母にも、あなたと今日お会いすること、いっていないものですから」

「そうですか、じゃ、ここで失礼します」

西島は、じっと恵理子の目を見つめたが、思い切ったようにくるりと背を向けて去って行った。恵理子はそのままブランコの傍に立っていた。

と、不意にうしろに声がした。

「今晩は。お姉ちゃま」

驚いてふり返ると、香也子が猫のような目を見せて立っていた。

蔓バラ

蔓バラ

一

扶代は、容一の胸から離れて、自分の床に戻った。枕もとのスタンドにスイッチをいれると、青い笠に反射して、部屋の中が少し水色を帯びた。

容一は腹這いになってタバコに火をつけた。扶代は枕に頬をつけて、その容一を黙って見ていたが、十八年も前に死んだ、前夫加野守の顔を思い浮かべた。いつものことだった。容一に抱かれると、扶代は反射的に加野を思い出すのだ。加野に対して、いまだに罪を犯しているような気がしてならないのだ。加野は一度だって、自分が他の男に抱かれる姿を想像したことはなかっただろうと、扶代は思う。加野は小さな商社に勤める実直な会社員だった。これといった道楽もなく、ただ少し酒をたしなむ程度だったその加野が、ある夏の夜、突然、

「うーん」

と呻いたかと思うと、そのままあっけなくこと切れた。

死が突如としてくることは知ってはいた。が、それがあのように自分の夫の身に起ころ

うとは、扶代はそれまで考えたことがなかった。公務員だった扶代の父は、扶代が六歳の時、長いこと胸を病んで死んだ。母は近所の仕立物などをしながら、細々と暮らしていたが、扶代が結婚する二年前、腎臓を長く患って死んだ。

扶代の周囲に突如として死んだものはなかった。だから突如として起こった夫の加野の死は、扶代に異常な恐怖を与えた。いつわが子の章子(あきこ)が奪い去られるか、あるいは自分が急死するかと、おびえたものだ。

かき消えるように加野が死んだあと、扶代は料亭の帳場に雇われて、章子とともにつつましく生きてきた。給料は安く、二人で生きるには必ずしも充分ではなかったが、扶代はこれが自分の運命だと諦めていた。自分もかつて、母と二人暮らしだったのだ。親子二代、同じ運命を辿るものかもしれないと思いながら、扶代はつとめて明るく生きてきた。食べて生きているだけで感謝だった。

だが時折、加野のように自分が急死したら章子はいったいどうなるか。そうした不安がいつも胸の中にあった。だから、思いもかけず橋宮(はしみや)容一に結婚を申しこまれた時、扶代は多くを考えずに容一と結婚したのだ。

(食べて行ければいい)

と、細々と生きていた扶代にとって、容一との豊かな生活は感謝すべきことだった。わがままな香也子という娘はいたが、その気性をのみこんでしまえば、それほど腹を立てずに暮らすことができた。が、この半月余り、実子の章子が、

「お母さん、この家を出よう」

と、幾度も迫ることで、扶代はさすがに心を悩ませていた。香也子に腹を立てる章子の気持ちがわからないわけではない。が、いままで長い間我慢してきて、二、三か月後には結婚する章子が、なぜすぐにもこの家を出て行きたいというのか、扶代にはわからなかった。金井と結婚する章子には、もう橋宮家は不要なのかもしれない。そしてこの家から嫁入りすることに、章子は屈辱を感じているのかもしれない。

しかし、この家を出たあとの自分はどうなるのか。扶代は、今更この家を出る気はなかった。容一との間はうまくいっている。経済的な面でも、かつて想像したこともない満たされた生活だ。香也子も遠からず結婚するだろう。香也子のことだ、必ず別に新しい家を建ててもらって、そこで新婚生活をはじめるにちがいない。その日は、必ず、二、三年のうちにやってくるのだ。扶代はもはや、細々と女手ひとつで食べていく生活に戻ることはできなかった。もう十年前のように若くはない。特別の能力も才能もない。第一、容一と別れる気はさらさらない。

いつしか目をつむって、扶代は考えている。

（もしも章子が、一人で家出をしたらどうなるだろう）

この家に自分はいづらくなるような気がする。いままで育ててもらって、恩を仇で返すと容一はいうだろう。

かすかに目をあけると、容一はまだ腹這いになって、タバコを吸いながらぼんやりと何かを考えていた。

「なんだ、起きていたのか？」

容一が扶代を見ていった。

「ええ……何を考えていらしたの？」

「うん……何、仕事のことだ」

容一はタバコを灰皿に押しつぶすと、スタンドのスイッチを切って、枕に頭をつけた。

容一は、別れた保子（やすこ）のことを考えていたのだ。二、三日前、容一は保子と小料理屋で会った。

その時保子は、

「わたしは、いま一所懸命、自分を改革しているのよ」

と、ふっくらとした手を容一の手にからませていった。

「なんだい、自分を改革するって？」

尋ねる容一を、保子は流し目で見て、

「潔癖症をなおすことよ。あなたのいちばん嫌いなところをなおすつもりなのよ」

と、ちょっと顔を赤らめた。

あの時の保子の表情は少女のようだったと、容一は思い出していた。十年の歳月は、保子をどんなに孤独におとしいれていたことか。しかしそれでよかったのだと容一は思っている。以前の保子には、拒絶する冷たさが多かった。が、いまの保子は、明らかに自分を求めている。小料理屋で容一はいった。

「どうだね、今度思いきって、わたしと旅に出ないかね」

「まあ⁉　旅に?」

保子は驚いて目をみはった。保子は旅行嫌いなのだ。外食さえ好まぬ保子が、誰が寝たかわからぬホテルのベッドに寝ることなどは、できないことだった。たとえシーツや襟布が新しかろうと、保子の神経は承知しなかった。一枚のシーツを通して、ベッドの汚れが、じかに身に伝わるような感覚を保子は持っている。どんな病気を持った者がそのベッドに寝たかわからないと、保子は想像するのだ。特に保子は、梅毒を恐れた。梅毒を持った者が、裸でベッドに寝たのではないかと恐れるのだ。

公衆電話をかける時、保子は受話器をちり紙で持ち、ダイヤルを鉛筆の先でまわす。ドアをあける時も、必ずちり紙を使う。そしてちり紙はその都度捨てる。

「旅行ねえ……」

　再び保子はいって、首をかしげた。

「お前、自己変革を心がけているといったじゃないか」

「そうよ」

　立ち上がると、保子は素手で襖の取っ手に手をかけて見せた。

「なるほど、たいしたもんだ」

　容一は笑った。

「テーブルにこぼしたご飯だって、食べられるようになったわ」

「ほんとかね」

　保子はわざと飯粒をテーブルにこぼし、ちょっと眉根をひそめながら、それを拾って食べて見せた。

「たいしたもんだねえ」

　自分への愛の証を見せられたようで、容一は保子がたまらなくいじらしかった。

　そんな保子の肩を抱きよせると、保子は抵抗もせずに容一の胸に倒れたが、

「でも、旅行は無理よ。母が出してくれないわ」

といった。

いつも家の中にとじこもりがちの保子が、急に旅に出たいといっては、怪しまれるのは当然だ。

「なんとか口実を考えて、二、三日阿寒にでも行くんだな。わしのほうは、いまのところ出張しようと思えば、すぐにでも出れるからね」

そんな話をしたことを思い出しながら、容一はさっきからタバコをふかしていたのだ。寝たとばかり思っていた扶代が、かすかに目をあけた時、容一は内心ぎくりとした。そして電灯を消してから、闇の中で苦笑していた。もう十年以上も前にも、こんなことがあった。その時は、傍に寝ていたのは保子だった。容一はその時、扶代のことを考えていたのだ。

丘の夜は静かだ。遠くの国道を行く車の音が、時折風に乗って聞こえてくるだけだ。容一はいつしか眠りについていた。が、扶代はまだ、じっと闇の中に目をあけていた。

二

午後六時、日没まではまだ一時間もある。庭の芝生に、プロパンガスのボンベが持ち出され、いま、橋宮一家はテーブルを囲んでジンギスカン鍋をつついていた。ニンニクと生姜をすりこんだタレに、よく浸かった肉が、じゅうじゅうと音を立てて焼ける。ピーマン、ナス、モヤシ、長ネギなどの野菜が、鍋の縁の溝に煮え立っている。

今日は香也子の従兄(いとこ)の小山田整(おやまだひとし)も、食卓の仲間だ。

「叔父さん、やっぱりジンギスカンというのは、こうした庭に出て食べるのがいちばんですね」

「そうかね」

容一は別のことを考えている。さっきから黙々として、ろくに鍋に箸もつけぬ章子の様子が気にかかっているのだ。

「料理ってのは、気分のもんだね、叔母さん。ぼくのアパートみたいな、ちっちゃな四畳半で食べるのとは、味が段ちがいですよ」

と、小山田はビールを傾ける。香也子がいたずらっぽい目をくるりと向けて、

「整さん、あなたの買うお肉は、きっと安物だから、筋が多いのよ。うちのお肉は、赤ちゃんでも食べられるくらい柔らかいでしょう」

「安物とは、香也ちゃんもいいにくいことをいうよ」

　整は大声で笑った。香也子は整にビールを注いでやりながら、

「わたしにはいいにくい言葉なんてないわ。生麦生米生卵、特許許可局、隣の客はよく柿食う客だ。ね、なんでもいえるでしょう」

「まったくだ。君にはいいにくい言葉はひとつもないらしいね」

　章子はちらりと整を見、かすかに微笑した。香也子に遠慮なくものをいえるのは、整だけだ。整がくると、章子はあたりが明るくなるような気がする。

「じゃあ、整さんには何かいいにくいことがあるの」

　鍋が二つで、一つは容一と整と扶代、他は香也子と章子と絹子の三人だ。いちばんおいしそうな大きな肉を、香也子は当然のごとく、次々と食べていく。章子がほとんど食べていないことに、気づいているのかどうかと、容一は香也子を見る。

「そりゃああるさ」

「あらそう。わたしはまた、整さんにはいいにくいことなんかないと思ってたわ。わたしの仲間だと思っていたけど」

「君の仲間？　冗談じゃない」

「それ、それが整さんの悪い癖よ」

章子はちらりと母を見た。扶代と目があったが、扶代はさりげなく視線をはずし、容一にビールを注いでいる。香也子は二人が絡ませた視線をすばやく見てとったが、容一にいった。

「ねえお父さん。わたし、このあいだいいところへ行ってきたの。どこかわかる？」

「いいところ？　映画か？」

「映画？」

大仰にうんざりした顔をして見せて、

「映画なんて、つまらないわよ」

「じゃわからんな。わかるかい整君、若い女の子のいいところって」

「さあね、章子ちゃんなら金井君のところだ、な章子ちゃん」

章子は赤くなって下を向いた。

「香也ちゃんのいういいところは、さあてな、喫茶店でもなし、デパートでもなし、好きな人というのがあるわけじゃなし……」

「あら、その好きな人のところよ、整さん」

「好きな人？　そんなのできたの」

「できたわよ。あのね、お父さん、わたしこのあいだ、お母さんのところへ行ってきたの」

　扶代がハッと香也子を見た。が、そのまま何事もなかったかのように箸を運ぶ。香也子はじっとその扶代を見つめながら、

「知ってた？　お父さん」

　という。容一はあわてて、

「あ、絹ちゃん、ビールがないよ、ビール持ってきてくれないかな」

　と、聞こえぬふりをした。

　香也子が保子の家を訪ねたことは、このあいだ小料理屋で保子から聞いたばかりだ。が、香也子も子供ではない。自分にもいわないところをみると、かくし通すつもりかと容一は思っていた。それを香也子は、みんなの前で大声でぶちまけたのだ。内心あわてたがもう遅い。たしなめたところで、香也子にはききめがないのだ。その容一の気持ちを察したかのように、整がいった。

「香也ちゃん、美しい女性というものはね、その場に合った話題を提供するもんだよ。君は美しいんだから、この場に合った話題を提供してほしいな」

　香也子は整をじろっと見た。たしなめられることが香也子はいちばん嫌いなのだ。

「お世辞をいわなくても結構よ、整さん。わたしね、その場その場に合ったことなど、いえないの。ただ、自分の思ったことを正直にいいたいの。自分に正直っていいことでしょ。ね、整さん」

「自分に正直ってなんだい。まさか、自分の感情にだけ正直ということじゃないだろうね。われわれ人間は、自分の中に知性も意志も持っているんだからね」

「あいにくとね、整さん。わたしが持っているのは、感情だけよ。好きか嫌いか、それだけしかないの。知性とか意志とか、わたし生まれる時、お母さんのお腹の中に忘れてきたわ」

けたたましく笑った香也子は、父親を見て、

「お父さん、わたしお母さんのところへ行ったの、知らなかったの？　お父さんとお母さん、ちょくちょく会ってるんでしょ」

もはや扶代は表情を変えない。扶代は容一と保子母娘がホテルで中華料理を食べていたということを、もう何日も前に章子から聞いている。

「何回も会ったことはないよ。偶然ホテルで会ったことはあるがね」

「あら、そう？　わたし、なんべんも会ってるって思ってたけれど、ちがったのかしら」

「でたらめをいっちゃいかんね」

さすがに苦々しげに香也子を見た。香也子はつらっとして、

「ね、お父さん、昨日本で読んだんだけど、もしお父さんが死んだら、あっちのお姉さんにも遺産が行くんだって」

容一の答えるより先に整がいった。

「そりゃ行くさ、香也ちゃん」

「がっかりだわ。わたしひとり占めできると思ったのに。そのうえ、つれ子にもやらなきゃあならないんだって?」

扶代はそっと、用を思いついたふうに席をはずした。

「当たり前さ」

また整がいった。

「じゃ整さん、後妻が離婚したらどうなるの。そのつれ子には一文もやらなくていいんでしょ」

「香也子! いい加減にしなさい。馬鹿なことをいうもんじゃない」

容一がテーブルを叩いた。

コップが躍り上がった。思いがけない容一の見幕に、さすがに香也子はひるんだ。香也子はいままで、容一にきびしく叱られたことはない。他の目には我慢のできない香也子ではあっても、容一にはかけがえのない娘であった。その容一の甘さを香也子は敏感に感じ取り、勝手なふるまいをしてきたのだ。が、いま突っ立った容一の顔は、いつもの容一の顔ではなかった。

「香也子！　いうにもほどがある。お前も子供じゃあるまい。お父さんの財産はお父さんがしたいようにできるんだ。いますぐにでも、お前以外のみんなにやって、お前には一文も渡さないこともできるんだぞ！」

いい捨てると、容一はふり向きもせずに家の中にはいっていった。

香也子の顔が青ざめた。章子がうつむいてひっそりと笑っていた。

三

車を降りた金井政夫（かないまさお）は、高砂台（たかさごだい）の入り口の喫茶店に、キーを鳴らしながらはいって行った。レモン色の電灯の下には客が五、六組いて、静かな曲が流れている。金井は二階に上がって行った。二階には、香也子が待っているはずなのだ。

だが、香也子はまだきていなかった。きれいな白髪の紳士が、片隅にひとりタバコをくゆらしているだけだった。金井は内心舌打ちをした。昨夜、香也子から電話がかかってきた。

「お兄さん、困ったことができたの。あしたの晩聞いてちょうだい」

香也子の声が泣いていた。

（自分から呼び出しておいて……）

香也子の住む高砂台の家からは、歩いても十分ほどの喫茶店なのだ。金井は、白髪の紳士とは反対の隅のテーブルに腰をおろした。旭川（あさひかわ）の夜景が美しく広がっている。

札幌（さっぽろ）から国道十二号線を走って神居古潭（かむいこたん）の山間（やまあい）にはいり、その山間の果てるところに低い峠がある。峠の頂上にさしかかると、俄（にわか）に旭川の街が目にはいる。峠を少し下りた中腹に、このドライブイン兼喫茶店の〝ゲートイン旭川〟があるのだ。ここは金井の好きな店で、時々章子と食事をすることもある。

運ばれてきた水を一口飲んで、金井は窓外に目をやった。旭川からくる車が、国道に光の列をなしている。反対に旭川にはいる車は、尾灯を赤くつらねて降りて行く。

ここから見る旭川の街は、夜空にビルを浮き立たせて、ひどく都会的に見える。いつか、小山田整とここでコーヒーを飲んだ時、小山田もいった。「ここからみる旭川がいちばん器量よしだ」

そんなことを思いながら、金井は時計を見る。もう八時半だ。

半袖の開襟シャツを着ていても、じっとりと汗ばんでくるような蒸し暑さだ。

(困ったことって、何だろう?)

あの利かん気の香也子が、弱音を吐いてきたことに、金井はいくぶん優越を感じていた。いつも高飛車でわがままな香也子が、ひどく弱々しい声を出していたのだ。

(しかし……あの娘は用心したほうがいいな)

いつかの雨の日、車の中でキスを迫られた。あの時、小山田整の車が、うしろで警笛を鳴らしてくれなかったら、自分はキスをしていただろうと思う。バツの悪い思いもしたが、助かったような気もする。香也子はわがままだ。妖しさのある娘だ。用心をしなければと思いながらも、一方では、金井はある期待をもっていた。香也子と二人きりで会うということは、金井にその期待の方が多いということでもあるのだ。

(章子と香也子……)

　金井は二人を天秤にかけてみる。金井は中学の時に、よい英語の教師に会って以来、英語に強く惹かれて勉強した。ほとんどはレコードやラジオでの学習が主だったが、中学時代の英語の教師に誘われて、外人宣教師のバイブルクラスにも出た。大学は英文科を出、卒業後ただちに塾を開いた。大学時代も、塾を開くための勉強を、さまざまな形で金井は重ねてきた。塾を開く金は父が出してくれた。公務員をしている父が、こつこつと貯めたなけなしの金だった。幸い家が市の中央にあり、だだっぴろいだけが取り柄の古い家を改造して始めたのだ。それが金井の、一見明るく見える性格のせいか、若さと熱意のせいか、意外に順調に経営は伸びた。このあたりで、できれば塾の建物を新築したいところなのだ。

　章子が橋宮容一の娘と聞いて、金井の食指は動いた。むろん、控えめな性格や、派手にふるまわぬところが、金井の心を惹くには惹いたが、家内の心の中には、章子との結婚と塾経営とは重なっていた。

　が、いざ婚約してみると、橋宮家における章子の位置が、思ったより日当たりの悪いところにあるのを金井は知った。

(しかし……橋宮の娘にはちがいないんだから)

金井としては満足すべき縁だと思っていた。その二人の間に、香也子がちらちらと姿を現すようになった。時折香也子は、予告もなしに塾に現れることがある。そんな香也子の動きを、どう受けとめるべきか、金井はそのたびに迷った。車の中で接吻を求められたことも、気まぐれといえば気まぐれに思われた。しかし、真剣と思えば真剣とも思われた。若い娘の行動はいつもそんなものだ。今夜のことだって、どこまで本気なのか。金井は警戒しながらも、心のどこかにひそかな期待があった

「ごめんなさい、遅くなって」

約束の時間より十分ほど遅れて、香也子が姿を現した。

思いがけなく、紺地に白百合の模様の浴衣を着、クリーム色の半幅帯をしめている。

「ほう、似合いますね」

金井は白い健康な歯を見せて笑った。

「そうお？　うれしいわ」

持っていたうちわで、金井に風を送りながら、

「金井さん、きてくださらないかなと思っていたの」

と、にっこりする。

「どうして？」

「だって、章子さんに叱られるから……」

「大丈夫ですよ。章子さんはむやみに人を叱らない女性ですからねえ」

金井は、待たされたことの不満は、いささかも顔に出さずに、機嫌よくいい、

「コーヒーでも……」

「そうね、わたしアイスクリームがほしいわ。ここの、おいしいの」

香也子の声が素直だった。

「コーヒーもおいしいですよ、ここは」

金井はコーヒーとアイスクリームを頼んでから、

「困ったことができたって、何です?」

と、香也子を見た。

四

　二人は店を出た。いましがた香也子が話をしようとした時、若者たちが、五、六人、近くのテーブルにすわったからだ。

　金井は思いきっていってみた。

「少しドライブしますか」

「そうね、今夜は暑いから、神居古潭のほうにでも行ってみたいわ」

　金井はいくぶんうしろめたさを感じながら、ハンドルを握った。国道は、さっきよりぐっと車が減っている。窓からはいる夜風が快い。

「話って、何ですか?」

「わたしの母のこと、章子さんからお聞きになった?」

「いいえ、あまり……」

　金井は周到に答えた。へたに章子から聞いたといっては、章子の立場が悪くなるだろう。

「あら、章子さんって、そんな話もあなたにしないの?」

「あまり現実的な話をしませんよ」

「あら、じゃ、どんな話をするの」

「そうだなあ、読んだ小説の話や、聴いたレコードの話かな」

「まあずいぶんお上品なのね」

「そんなことより、あなたの話を聞かせてください。気になってしかたがありませんからね」

「あら、気にしてくださっていたの」

「当たり前ですよ。昨日の電話じゃ、あなたは泣いていましたからね」

　ちらりと、金井は香也子を見た。

「わたしって、馬鹿ねえ。やっぱり金井さんは、お兄さんみたいな気がするのよ。すぐ甘えちゃって。……実はねえ、わたしの母、旭川にいるのよ。わたし、自分を捨てて行った母になんか会いたくないんだけれど、会いたいからこいっていわれて、仕方なしに、とうとう行ってきたの」

「なるほど」

「ところが、それがお父さんに知れてね。章子さんのお母さんにも知れたりして、気まずくなったのよ」

「…………」

「わたし、とても辛いの。誰かに甘えたくなっちゃったの。でも、甘える人いないのよ、お兄さんしか」

「なるほどねえ。大変だねえ君も」

章子から聞いていた話とはだいぶちがうと思いながら、金井は適当に相づちを打った。

「そのうえね、章子さんも、このごろすごくつんけんするの。わたしに口もきいてくれないのよ」

「ほう、章子さんがねえ」

章子も、パウンドケーキの一件以来、香也子と口をきくのはいやだといっていたのを、金井は思い出す。いやそればかりか、橋宮家を出たいとさえいっているのだ。そんなことをされては、金井のほうが困る。金井は適当に、章子の気持ちも静めているのだ。

「そうよ、章子さんって、そういう人よ。そりゃあ見た目はおとなしいけど、芯が強いのよ。わたしと反対なのよ。わたしは鼻っぱしは強いけど、芯が弱いでしょう?」

「そうですね、あの人は芯が強い。あなたのほうが、ずっと子供だものなあ」

対向車が、二人の顔にライトを浴びせながら時折過ぎて行く。右手に、神居古潭の暗い流れが見えてきた。

「ねえ、お兄さん、わたしどうしたらいいのかしら。そりゃあ母のところへ行かなきゃあいいんでしょうけど……」

「お父さんは何ていうの？」

「それがねえ……これは章子さんには決していっちゃ駄目よ。いったら大変なことになるから。……お父さんは内心、わたしが母のところへ行くのを喜んでいるのよ。喜んでいるくせに、章子さんたちの前では怒ってみせるの。大人っていやねえ」

「なるほどなあ。じゃ、お父さんは、君のお母さんとよりを戻しているわけですか」

「もう、しょっちゅう外で会ってるみたい。でも、こんなこといっちゃ駄目よ。むこうの母の様子では、章子さんのお母さんを追い出すつもりらしいわ」

　さすがに金井は驚いた。章子の母と橋宮が別れては、金井が章子を選んだ根拠が失われる。金井は心の中で、素早く計算していた。

(別れても別れなくても、この娘だけは橋宮の娘にはちがいないのだ)

　むろん、章子の母扶代にしても、無一文で別れることにはならないだろう。しかし金井には、橋宮容一といううしろ楯が、大きな存在だった。

「お父さんこのごろね、少しおしゃれになったわよ。洗面所の鏡の前で、いつまでも髪をなでつけたり、いままでつけたこともない化粧水を使ってたりするの」

　それは金井も同じだ。

　金井はちょっと苦笑してから、

「しかし、別れる理由もないのに、別れるわけにはいかないでしょう、お父さんだって」

と、自分自身に安心させるように言う。

「わからないわよ、うちの父なんか。ずるずると母のほうに居ついてしまうかもしれないわ。離婚なんか、性格の不一致とか何とかいえば、それでもう成立するらしいのよ」

「なるほど」

「それでいて、わたしが母の家へ行ったら怒るんだから。わたし、父が大っ嫌い。章子さんも嫌い。章子さんのお母さんも嫌い。好きなのはお兄さんだけよ」

大きなトラックが、びゅんと風を切って過ぎて行った。山が黒々と次第に両側からせり出してくる。車は石狩川に沿って疾駆していた。

「好きって……ぼくを兄のように思っていること?」

金井は、またしても章子と香也子を天秤にかけながら、そういってみた。

「お兄さんのように……っていうしかないでしょ。あなた章子さんのフィアンセなんだもの」

すねたように香也子はいって、窓側に体を寄せる。いつかの接吻を迫った時と、様子がちがう。金井は、自分と香也子の間に、一人の人間がすわれるほどの距離があることを、意味深く思いながら、

「しかしね、香也子さん、男はいちばん好きな人と結婚できるとはかぎらないんですよ」

と、速度を落とした。

「え？　じゃ、あなたは章子さんがいちばん好きだから結婚するんじゃないの」

「彼女をいちばん好きだと思っていた時もありましたよ。しかし、そのあとにもっと好きな人が出てきたとすれば……これはしようがないでしょう」

金井はわざとまっすぐに前方に目をやったままいった。香也子はきらりと目を光らせた。が、黙っていた。当然返ってくるはずの言葉が返ってこないので、当てがはずれた。

「香也子さん、そのいちばん好きな人が誰だか、わかりますか」

香也子は聞こえないふりをした。

「香也子さん」

何かいおうとした時、香也子がいった。

「このあたりで、川の縁に休みたいわ」

香也子の声が無邪気だった。何も聞かない声だった。右手に、少し広い駐車場があった。仕方なく金井は、そこに車を乗り入れた。

駐車場には車は一台もなかった。

「やっぱり川縁（かわぶち）ね。涼しいわ」

先に車を出た香也子がうれしそうな声をあげた。乗用車が三台つづいて、旭川の方に走り去った。あとはひっそりとした夜の山間だ。金井の車のヘッドライトが、川のひととところに光を投げかけている。大きな岩が、いくつか川の中にあり、そのひとところに、白い飛沫があがっていた。

「静かねえ」

金井から少し離れて、香也子はいった。

「香也子さん、ぼくがさっきいったこと、覚えていてください」

暗い中に二人っきりだと思うと、金井はにわかに積極的に出た。まさか今夜も、小山田整がつけてくることはあるまい。いまのところ、章子との縁を切らず、香也子にも接近しておかなくてはならないのだ。

「さっきの言葉?」

香也子は無邪気に聞き返す。

「忘れたんですか?　香也子さん」

「何をおっしゃったかしら、お兄さん」

「結婚する相手が、必ずしもいちばん好きだとはかぎらないということです」

「ああ、そして好きな人がほかにいる、とおっしゃったことでしょう」

「そうです。そのいちばん好きな人が、誰かわかりますか、香也子さん」

「お兄さんのいちばん好きな人？」

「そのお兄さんはやめてください。ぼくはあなたの兄じゃない。ぼくのいちばん好きな人は、香也子さんなんだから」

「まあ！」

香也子は驚いて見せた。

「香也子さん」

金井の手が、香也子の肩にかかった。香也子はびくりと肩をふるわせた。金井はぐいと香也子を胸に抱きよせた。金井の唇が香也子の唇に迫ろうとした時、香也子は顔をねじまげていった。

「金井さん！　キスは章子さんときっぱり別れてからしていただくわ」

あまりに大きな声だった。明晰過ぎた。金井は頭を一撃されたような気がした。が、金井はひるまずに、その幅広い胸に香也子をかき抱こうとした。

と、旭川のほうから大きなトラックが二台、明るいライトを投げかけながら走ってきた。

「放して！　放してよ、金井さん！」

香也子が金井の胸を突いた。思わず手を放すと、香也子が肩で大きく息をしながらいった。

「今夜のこと、みんな章子さんにいってあげるわ。いいんでしょう、それで」

「そんな、馬鹿な」

金井はあわてた。

「何が馬鹿なの。あなたが好きなのわたしでしょ。じゃ、章子さんと別れればいいじゃないの。簡単なことじゃないの」

いい捨てると、香也子は折から通りかかったタクシーに手をあげ、さっさと車の中に乗りこんでしまった。

五

恵理子(えりこ)は、目を覚ますとすぐに、立ちあがって窓をあけた。晴れて一点の雲もない。清々しい真夏の朝だ。風もほとんどない。ほっとして、恵理子は着更えはじめた。今日は午後の便で西島(にしじま)が、旭川空港から東京に飛び発つ。

六月二十七日に、はじめて西島とデートをして以来、今日までの二十日ほどの間に、二人はもう四度ほど会っている。ツネには外出のたびに行く先を告げねばならない。子供の頃からの習慣で、それがお互いに、当然なことに思ってきた。が、このごろは、その当然なことが、恵理子には苦痛に思われてきた。ツネは恵理子に、ボーイフレンドができることを極力警戒しているからだ。

「いいかい恵理子。男を見る目は、おばあちゃんのほうがずっと確かなんだからね。髪の長い、男か女かわからんような男などと、知り合いにならないでおくれよ」

否応をいわせぬ強い語調で、ツネは時々そういうのだ。西島の髪はそう長くはない。が、髪が長かろうが短かろうが、男の友だちをもつことは、ツネにとっては許すべからざることなのだ。それは、自分の結婚も、娘の保子(やすこ)の結婚も、結局は失敗だったからである。それにしても、男女共学のこの時代に、ツネの考えはあまりに頑な過ぎた。それをさほど頑なとも思わずにきたのは、恵理子に特定の男性がいなかったからだ。

今日西島は、二週間ほどの予定で出張する。二週間も会えないとなれば、どうしても空港まで送って行きたかった。

いつもより早めに起きた恵理子は、毎日しなければならない掃除や洗濯を、手早く終えた。何もかも順調にいき、午後になった。飛行機の出る時間は四時十分だ。が、その二時間前に、二人は空港で会うことになっていた。

ブルーのワンピースに、白いボウが清潔だった。白いハンドバッグを手にした恵理子を見ると、

「おや、どこかへお出かけかい」

と、ツネが読んでいた新聞から顔をあげた。

「ええ、ちょっと」

何も悪いことをするわけではないと思いながらも、恵理子の表情がゆらいだ。その恵理子を、頭から爪先までじろりと見て、ツネがいった。

「このごろ、恵理子は、何だかそわそわしているようだね」

傍で保子が、

「そんなことはありませんよ」

　とかばう。その保子にツネが珍しく気色ばんでいった。

「そんなことはありません？　馬鹿におしでないよ。ま、ちょっとおすわんなさい」

　恵理子は時計を見た。一時半だ。二時までには空港に行く約束になっている。車で二十分、そろそろ出かけていい時間である。

「ねえ保子、親も親なら、子も子だねえ。保子も何となくそわそわしているように、わたしは思うんだがねえ。このごろお前、おしゃれになりましたよ。いつまでも鏡台の前に粘っていたりさ、風呂にはいる時間も長くなりましたよ」

「あらそうですか」

「あらそうですかじゃありませんよ。このあいだ、お前が誰かと小料理屋から出てきたところを見たと、わたしに教えてくれた人がありますよ」

「あら、小料理屋？」

　年の功で、保子はとぼけて見せた。

「おとぼけじゃないよ。このごろのお前を見ていたら、何だかのどがひりひりするようだよ」

　ツネはぽんぽんといったが、

「のどがひりひりするって、どうしたのかしらねえ」

と、保子はわざとぼんやりした顔をして見せた。ツネはもじもじしている恵理子を見ながら、

「ま、保子のことは保子のこととして、恵理子も恵理子だよ。この頃出かける時、いやにおめかしするじゃないか。百人一首にもあるだろ。しのぶれど色に出にけりってね」

と眉根をよせる。恵理子は黙って、自分の膝を見つめているだけだ。いままで西島と会う時は、洋裁の用事で出かけるような顔をしていた。裏布地を買うとか、ボタンを買うとか、仮縫いに行くとか、そのたびに口実を変えた。母もツネも、その恵理子に不審なまなざしはむけなかった。だがツネは、ちゃんと見とおしていたのである。

西島と会うとなれば、つい普段より、髪の形にも、着るもの履くものにも注意を払う。いやそうでなくても、西島に会うという心の張りは、おのずから顔をいきいきとさせていたことだろう。それに気づかないようでは、祖母は茶人とはいえないかもしれない。むしろ母のほうが、橋宮容一とのことに気をとられて、恵理子の変化に気づかないようだった。

「え？　恵理子、黙ってたって、おばあちゃんは恵理子の心の動きぐらい、よくわかるんだよ。保子も恵理子も、うまくわたしをたぶらかしたつもりでも、そうは問屋がおろさないからね」

恵理子は黙るより仕方がなかった。いまここで、祖母と争ったところで、はじまらないと思った。いうべきことは、時間をかけていえばいい。けんかのような形で、つまらぬこ

とはいいたくなかった。

と、その時、玄関のブザーが鳴った。恵理子が立とうとすると、保子がさっと立って行った。ツネがいった。

「恵理子、わたしにかくしごとはしないでちょうだいよ。いい人ができたらできたで、仕方がない。お前は保子とちがって若いんだからね。保子ったら、四十を過ぎてからそわそわして、みっともないったらありゃしない」

ツネの言葉は、保子の前とは微妙に変わった。ツネは恵理子を厳しく咎める顔で、内心、保子を皮肉っていたのかもしれない。

「おばあちゃんにも、あとでゆっくり詳しく話します」

いっているところへはいってきたのは、思いがけなく、小山田整と香也子だった。

「おや、いらっしゃい」

ツネは二人を見て、如才ない笑顔を見せた。いままで、楽しい芝居の話でもしていたような表情だった。鮮やかなツネの変わりように、恵理子は感嘆しながら、

「あら、いらっしゃい」

と、つつましく頭をさげた。

「こんにちはア、おばあちゃん。これおみやげ」

香也子は十年も出入りしているような人なつっこい顔で、ロバ菓子舗の水羊羹をツネの膝の前においた。

「おや、まあ水ヨーカン。おばあちゃんの大好きなものだよ、これは」

と、上機嫌でツネは押しいただいた。ツネは日ごろから、

「どんなに家の中で気まずいことがあってもさ、何の関係もない客には、機嫌のいい顔を見せるものだよ。お茶は心だからね」

といっている。だからツネは、気持ちのいい明るい人間として通っていた。客を迎える心が確かに自在であった。

「おばあちゃん、相変わらず元気だね」

整はどっかりとあぐらをかく。

「おかげさんでねえ、元気だけが取柄だよ。あんたと同じだよ」

「おやおや、ぼくも元気だけが取柄にされちゃった」

整は愉快に笑う。恵理子は素早く立って冷蔵庫から冷たいおしぼりを持ってきた。常時五人分のおしぼりは用意している。

「ああいい気持ち」

手を拭きながら香也子は、

「お姉さん、どこかにお出かけ？　すてきなワンピースを着てるわね」

「え、ちょっと」

　ちらりと恵理子はツネの顔を見る。ツネは何もなかったような顔をして、

「もう出かける時間だろ。せっかくきてくれたのに失礼だけど、まあ他人じゃないんだから、
行っておいでよ」

　と、ニコニコしている、

「あら、やっぱりお出かけ？　つまんないわ」

　香也子は探るようなまなざしで恵理子を見る。猟犬のような嗅覚が香也子にはあると、
恵理子は夜の児童公園に突如現れた香也子の姿を思い浮かべた。あの夜、香也子は、西島
と二人のあとをつけてきたのだ。

「ごめんなさい。四時過ぎには帰ってくるわ。そして何かご馳走するわ。整さんも待っててね」

　もう約束の時間を過ぎている。自分を待っている西島の姿を思うと、恵理子は気が気で
ない。

「どこへ行くの、お姉さん」

「ちょっと空港まで」

「あら、空港？　わたしも行きたいわ。旭川の空港って、いい景色よね」

声を弾ませる香也子に、恵理子は困惑した。

「ね、いいでしょ?」

と、香也子はもう立ちあがっている。ツネはその香也子の様子をじっと見ている。保子が何かいおうとして、ツネを見て黙った。

「香也ちゃんあの……」

恵理子がいいかけた時、小山田整がはっきりといった。

「香也ちゃん、すわんな。赤ん坊じゃあるまいし……それぞれ人には人の事情があり、差し支えがあるもんだよ」

「あら、わたしがついて行っちゃお邪魔?」

香也子は恵理子の顔をのぞく。ツネは恵理子に助け船を出して、

「香也子、今日はおばあちゃんがお茶を手ほどきしてあげようかね。遊びにきた時ぐらい教えてあげてもいいよ」

と誘った。前に茶を習いたいと言っていた手前、いたし方なく香也子は腰をおろして、

「あら、ほんとう? おばあちゃん、うれしいわ。じゃお茶を教えてちょうだい」

といった。それがひどく素直に見えた。

「恵理子さん、さ、早く行ってらっしゃい。今夜のご馳走、楽しみにしてますよ。ま、ごゆっ

くり」
と、整は恵理子を追い立てるように玄関に送り出す。ほっとして恵理子は家を出た。

起伏

起　伏

一

空港には人けがなかった。駐車場に車が一、二台あるだけだ。東京往復一日僅か三便の、このローカル空港は、こうしたひっそりとした時が、昼間でもある。一時五分に午後の第一便が発ち、このあと東京から着くのは三時三十五分で、西島は四時十分発に乗るのだ。

二人は並んで、空港前の芝生にすわっていた。旭川空港は市の南東十数キロの丘の上にあり、見晴らしがいい。大雪山の美しい山容が、起伏する丘の上に近々とそびえ、少し離れた右手に、十勝連峰が南に遠くつらなっている。眼下には青田が広がり、丘の斜面の落葉松林や、馬鈴薯畑の白い花がエキゾチックだ。

「いい眺めねえ」

ついいいましがたまで、祖母や香也子に時間をとられて、はらはらしたことなど嘘のようだ。青田のところどころに、丈高いポプラが日にきらめいている。

「東京に行くのがいやになりますよ」

西島は東京の浅草で生まれ、浅草で育った。浅草には西島の両親と弟が二人、妹が一人いるという。だが、母は三人めで、弟や妹たちは、西島とは腹違いだという。西島が東京を離れて、旭川に仕事を持つようになった理由は、何となく恵理子にはわかるような気がする。

「三人とも、みなやさしい人でしてね」

西島はそういったが、それは、西島が引き出したやさしさのように、恵理子には思われた。いくらやさしくても、西島には西島の苦労があるのではないか。恵理子は香也子を思い浮かべた。香也子は、自分と同じ父と母から出たただ一人の妹のはずなのに、会うたびに、顔を逆なでされるような思いを、一度や二度はさせられる。

「でも、東京にお帰りになったら、お友だちがたくさんいらっしゃるでしょう」

恵理子は今日もまた、いつか見た若い女性のことを思いだした。西島と二人で、木工団地の川岸を歩いて行った若い女性。あの人はいったい誰なのか。それにしてもあの人は誰なのかと聞く資格が、自分にはあるのだろうか。恵理子はまだ西島にとってどんな存在なのかわからなかった。

「ええ、友だちはたくさんいます」

西島はうれしそうにいった。

「しかし、旭川にも友だちがたくさんできましたよ。それにこの自然は、絶対東京にはありませんからねえ」

西島は目を細めて、光にかすむ丘の果てを見た。

「わたしも、自然は好きよ。花や草や、石や木や……」

「ぼくもです」

明るくいって、西島は恵理子を見、

「僕は特に木が好きなんですよ。木が好きだから木工家具のデザイナーになったんですが……」

「ほんとうに木がお好きなのね、西島さんは」

東京という大都会を離れて、木に魅せられてこの地にきた青年がここにいる。そう恵理子は思った。

「いちがいに木といっても、種類はたくさんあるでしょう。木にはそれぞれの性質がありましてね。このあいだもショールームで、その木の個性を生かすということはお話ししましたよねえ」

「ええ。道産材の樺（かば）や楢（なら）が多かったですわね。同じ木でも、面によってあんなにさまざまな色があり模様があるのですものね」

「そうですよ。光のあて方によって、玉虫のように紋様が変わったでしょう」

楽しくてならないというような西島の熱心な語調に、恵理子も引き入れられてうなずく。

「ぼくはねえ恵理子さん、木を見ていますとね、何だか宝石よりも美しいように思われてくるんですよ。宝石もそりゃあ美しいには美しいが、もく目のもつあの美しさは、命の美しさっていうのかなあ、女性もあんな美しさをもった人が好きですね」

二人の頭上を、黄色いセスナ機が軽いうなりを立てて飛んで行った。恵理子は再び、西島と歩いていた女性を思い浮かべた。そんな恵理子の心を知ってか知らずか、西島は遠ざかるセスナ機に目をやりながら、

「ぼくは、北海道らしい、清純で素朴な家具を作りたいんですよ。どんな貧しい家庭にも、または豪華な家にも調和する家具をね。そして使えば使うほど、愛着を覚えるような家具をね。近ごろはすぐに何でも捨て去るでしょう。時々まだまだ使えるソファーなんか捨ててあるのを見ると、ぼくはたまらなくなるんですよ」

「わたしもよ。わたしもね、心をこめて縫ってあげた洋服を一、二度しか着ないで、次々に注文してくる人を見ることがあるんです。そんな時、とても侘(わび)しくなってしまうの」

「持っているものを生かすってことが、むずかしいんだなあ、現代の人には」

「そうですわねえ。でも西島さん、現代の人でないみたい」

二人は笑った。笑ってから、西島はまじめな顔をして恵理子を見た。

「話は変わりますけどねえ、恵理子さん。じつは今度東京に帰ったら、きっと結婚の話が出るだろうと、予感してるんです」

　ハッとして、恵理子は西島を見た。

「こんなことは、あなたには関係のないことかもしれませんが……。じつはね、ぼくの小さい時からの親友に、鈴村っていう奴がいるんです。その鈴村が白血病でしてねえ。奴は自分でも、薄々自分の命は長くはないと感づいているようなんです」

　西島の顔がかげった。

「まあ！」

「ぼくも、ま、東京には二晩しかいませんけど、彼を見舞うつもりでいるんです。この鈴村に、妹が一人いましてね……春に、二、三日旭川にきましたが……」

　恵理子は、自分の顔色が青ざめていくのを感じた。

「鈴村はきっと、またあの妹のことを、ぼくに頼むというと思うんです。いままでは冗談半分だったけれど、今度は本気で……」

　セスナ機が再び空港に近づいてきた。

二

「おばあちゃん、だけど、お茶って大変ねえ」

恵理子の作った夕食のちらしずしを食べたあと、香也子はアイスクリームをなめながらいった。

「そうかねえ」

しゃんと背中を伸ばしたまま、ツネは正座してスプーンを口に運んでいる。なんとなく油断のならぬ香也子だとは思いながら、二言めにはおばあちゃんと呼ばれると、ツネも悪い気はしない。なぜか香也子は、生みの母の保子(やすこ)よりも、祖母のツネに話しかける。そこに香也子の計算があった。

保子の機嫌は、べつに自分がとる必要はないとみている。第一に、自分は実の子だ。そのうえ保子は、父の容一と、よりを戻したがっていて、香也子が気を使う先に、保子のほうが香也子の機嫌を損じまいとしている。だから、保子にはわがままにふるまっていいのだと、香也子は敏感に感じとっている。

が、ツネにはそうはいかない。肉親の祖母といっても、この祖母にはいくつもの顔がありそうで、内心、香也子はツネを恐れているのだ。ツネの機嫌を損じたなら、この家にこなければそれでよい。とは思ってみても、ツネの前に出ると、香也子はついツネの機嫌をとるのだ。つまり、香也子にはツネが苦手なのだ。

「だってねえ、おばあちゃん、わたし、すわったことなんかないんだもん。わたしの部屋も居間も洋間なんだもの」

「洋間ねえ」

ツネは眉をひそめて、

「やっぱり日本人には、畳のお部屋がいちばんですよ。ここの家を見てごらん。みんな和室ばかりですよ。ほんとにほんとに、このごろの若いもんときたら、十分とすわっていられやしないんだから」

「まったくだよな」

小山田整(おやまだひとし)は、さっきから恵理子の顔をちらちらと見ていた。ともすれば恵理子の表情に影がさすのを、小山田はいち早く気づいていた。

恵理子は、もう東京に着いたであろう西島広之(ひろゆき)のことを思っていた。西島は白血病を病んでいる鈴村という親友を、すぐに病院に見舞うといっていた。そしてその妹を、西島の一生の伴侶として託すであろうことを話していた。その妹は、貴子(たかこ)といい、今年の春、旭川にもきたことがあるという。その貴子が西島と歩いていた女性なのだと知らされた。

ただ黙って聞いている恵理子に、西島はいった。

「恵理子さん、なぜぼくがこんな話をあなたにお聞かせするか、おわかりですか」

「………」

恵理子は答えようがなかったのだ。わかるというには、西島と恵理子の交際の日は、まだあまりに浅かった。だが、わからぬというにはためらいがあった。日は浅くとも、西島にたいする恵理子の心の傾きは、自分自身がよくわかっている。

「ぼくは……あなたが現れるまでは、鈴村の妹をもらってもいいと、思わないわけじゃなかったんです」

ひっそりとした空港の前で、美しい山々の起伏を眺めながら西島はいった。

(あなたが現れるまでは……)

その言葉を、恵理子は重い言葉として受け取った。

「ですけどむろんぼくは、鈴村にも貴子さんにも結婚するといったことはなかったんです。二人ともいい人間ですが、結婚しようとぼくに決意させるほどの何かが欠けていたと思うんです。第一、長いつきあいですからね。貴子さんにしても、妹のような、そんな親しさだったんです」

「でも……その貴子さんとおっしゃる方は、あなたをお兄さんのようには思っていらっしゃらなかったんでしょう?」

「そうです。うかつにもぼくは気がつかなかった。のんきだったんです」

「…………」

「恵理子さん、ぼくは率直に伺いたいんです。いや、こんなことを伺うのは、少し早過ぎるかもしれない。しかし、ぼくは、あなたに会ったときから……」

　西島はあとの言葉をつづけることができなかった。が、東京から飛行機が二人の頭上に現れたとき、西島はいった。

「恵理子さん、ぼくは、鈴村の申し出をきっぱり断ってこようと思います。いいでしょうか」

　西島は熱っぽい目で恵理子を見た。恵理子は深くうなずいた。が、恵理子はいった。

「でも、香也子とあなたは……」

「香也子さん?」

　西島は大きく目を見張ったが、肩をゆすって笑った。

「あの人は子供ですよ。いたずらっ子だ」

　その言葉と表情を見て、恵理子は西島を信じた。香也子はでたらめをいったのだ。いかにも西島と親しそうに、示威したに過ぎなかったのだ。

そんな西島とのやりとりが胸に去来する恵理子のまなざしは、ともすれば、あらぬところを見る表情になる。小山田は、恵理子が空港に送って行った西島広之を知らない。が、香也子とツネとの会話で、おおかたは察しがついた。

「ね、おばあちゃん、お姉さんきっと、西島さんという人を送りに行ったのよ」

「なんだね、その西島さんって。友だちかね」

「さあ、お友だちか恋人か、そんなこと知らないけど、木工団地に勤めてる人よ」

「へえー。木工団地だったら、川向いじゃないか。じゃ、椅子やタンスを作っている人かね」

「家具デザイナーですって」

「デザイナーねえ」

　頭をかしげたツネに、

「おばあちゃん、覚えていない？　旭山でお茶の会があったでしょう。あのときわたしのとなりにすわってた男の人がいたでしょう。お正客になって」

「ああ、いたいた。何か感じのスーッとした、いい人だったねえ。ねえ保子」

　黙って傍で聞いていた保子に、ツネがいった。保子は、

「さあ、あのときは香也ちゃんしか目にはいらなかったから……」

　と、やや不機嫌に答えた。保子は、なんでもべらべらとしゃべる香也子が、わが子なが

らうとましく思われたのだ。それはつまり、容一にたいする自分の心の動きを、誰にも知られまいとする警戒のためでもあった。

「ああ、あの男ならいいよ。若いのに、お茶のわきまえもあって、きちんとしてましたよ。髪も整さんみたいに長くなくて。ね、整さん、あんたその髪を少し切ったらどうかね」

「あら、整さんの髪、そんなに長くないわよ。整さんセールスマンだから、そう長くは伸ばせないわよね」

珍しく香也子が弁護した。

三

香也子はさっきからいらいらとしている。いまもふいと立って洗面所にきた。恵理子の前にすわっていると、何かたまらなくなるのだ。鏡をのぞいて、香也子はパフで鼻の頭をおさえる。唇の輪郭を口紅でととのえる。ちょっと笑ってみる。われながら愛らしいと思うのだが、恵理子には勝ち目がないのだ。恵理子のしぐさが落ちついていて、表情が美しい。どこか清らかな感じがする。それが香也子の癇にさわる。

「鏡よ鏡よ、わたしとお姉さんとどちらがきれい？」

白雪姫のまま母のように、いままた香也子は口にだしてそっといってみた。

香也子が再び居間に戻ると、整が大きく伸びをしながらいった。

「そろそろおいとましようかなあ。もう七時半になるものなあ」

香也子が時計を見た。一時半に訪ねてきてから、もう六時間経っている。恵理子が飛行場に行っている間、祖母に歩き方やすわり方を習った。

「ちゃんと歩いたりすわったりするようにならなければ、水瓶など運ばせられないからね。突っかかってころばれたりしたら、お道具が目茶目茶になるからね」

ツネはそういい、香也子が飽き飽きするほど、歩かせたり、すわらせたりした。お辞儀の仕方も習った。稽古となると、ツネはきびしかった。

「そんなに大股で歩いちゃいけないよ。三歩半といっただろう」

　香也子は内心うんざりした。

（畳半畳を三歩半なんて、足の短かった昔の人のお作法じゃないの。いまの娘たちはみんな足が長いんですからね、おばあちゃんとはちがうんですよ）

　胸の中で悪態をつく。

お辞儀をするとき、膝から手のすべらせ方がぎごちないの、角度がどうのと、うるさい。

（頭をさげりゃいいんでしょ、頭さげりゃ。ばかばかしいわ、こんなことに時間をかけて。こんなの時代錯誤よ。世界中のどこに、こんなことに金をかけて習っている国があるかしら。両手を床につけるなんて、不衛生よ）

　思いながらも香也子は、内心恵理子に負けまいとする思いがあるから、我慢をしてつづけた。しかし、こんな稽古を何年もつづけるのかと、考えるだけで気が遠くなる。

（ここの家にさざりこむのも容易じゃないわ）

　ふっと香也子は笑いだしたくもなった。

恵理子が作ってくれたちらしずしはおいしかった。米がぱりっと炊けていて、味つけが実に巧みだった。それに具の飾り方がうまい。薄く切った胡瓜をのせてあったのが香也子には珍しかった。香也子の家では、ちらしずしに胡瓜を使わない。そんな些細な差が、何か恵理子を立ち勝った女性に見せる。それがまた香也子には腹だたしかった。そのくせ自分の家にいるよりは、やはり楽しかった。肉親だということが、香也子をくつろがせるのだ。

「そうかい、帰るかい。まだいいだろう」

ツネがいったとき、恵理子が、

「香也ちゃん、ちょっと待って」

と、二階にあがり、すぐに駆け降りてきた。恵理子はメジャーを肩から垂らしていた。

「香也ちゃん、香也ちゃんの寸法はかっておくわね。いい布地があったら、スーツかワンピース作っておいてあげるわ」

なんというやさしい声音だろう。香也子はそれがうれしくもあり、ねたましくもあった。

「まあ、うれしい」

香也子は無邪気そうに恵理子の前に立った。恵理子は香也子の背丈をはかり、肩幅をはかり、胸まわり、腰まわり、細腰などをきびきびとはかっていく。その様子を、整は感嘆して見つめている。

「やっぱりプロだな」

「あら」

恥ずかしそうに恵理子は微笑した。その微笑を整は眩しそうに見て頭を掻いた。

「ぼくもはかってくれないかなあ」

冗談のつもりで整はいったのだが、恵理子は
「わたしの作るものでよければ、ワイシャツぐらいは作れるかもしれませんよ」

と、にっこりする。香也子は、ひざまずいて裾丈をはかっている恵理子を見おろしながら、いつもこのように、姉をひざまずかせたい思いに駆られた。

「へえ、お姉さん、紳士物を作れるほど上手なの?」

何か傷つける言葉を香也子はいいたかった。恵理子が答える前に、保子が答えた。

「香也ちゃん、恵理子は上手なんていうもんじゃないわよ。天才的ですよ。一度恵理子がつくったものを着た人は、二度とほかに頼みませんからねえ」

ともすれば黙り勝ちだった保子が、恵理子のこととなると、聞かれもしないのにいった。

香也子は横ずわりにすわって、

「天才的だなんて、大げさね。皇后様のお召物を作ったり、美智子さまのお洋服を作ったりするぐらいでなくちゃ、天才とはいえないわ」

「そうよねえ、香也ちゃん。わたし天才なんかじゃないから、安心してちょうだい」

恵理子は香也子の毒のある言葉にも笑って答えた。

「野に遺賢ありというからな」

ぽつりと整がいった。

「なあに、それ?」

「短大を出て、野に遺賢ありもわからんか」

「ひどいわ、整さんったら。また人をばかにして。ね、おばあちゃん、整さんったら、いつもこんなに意地悪なの」

「香也子姫ほどに意地悪じゃありませんよ、ぼくは」

恵理子に不作法なことをいった香也子に、整はぶっきら棒に答えた。いいながら、目の前にあったあられを口にいれた。と、その一つがこぼれた。それをつまんで、整は口に入れた。

「ま、汚いわね、整さん」

保子がいうと整は笑って、

「なんのなんの、ぼくのほうが汚れきっていますからね。ぼくより汚いものは、この世にはありませんよ」

整はわざとあられを二つ三つこぼして、また食べた。

「まあ」

　恵理子もツネも、保子も笑った。が香也子は笑わずに、

「おばあちゃん、うちの父さんの奥さんね、おんなじことするのよ」

「え？　お父さんの奥さん？　へえー、そうかい」

　ツネがうなずく。保子の顔がこわばる。それを尻目に、香也子はいった。

「それがね、畳の上ならまだいいの。台所の床に落ちたものでも、拾って食べるんだから。まるで猫か犬みたい。でもね、お父さんはそういう神経の人が好きなんだって」

　保子は目を伏せた。

「うちのお父さんも、どうかしてるわね」

「香也ちゃん。あんたどんな色が好き？」

　さりげなく恵理子がいった。

「わたし、どんな色でも似あうっていわれるわ」

「でも、好きな色ってあるでしょ」

「そうね、お姉さんは何色が好き？」

「わたしはブルーがわりに好きよ」

「じゃ、わたし、ブルーでない色なら、なんでもいいわ。特にクリーム色がいいな」

「クリーム色ね。似合うわね。きっと」

　恵理子の表情には、なんの反応もなかった。

「じゃ、整さん、はかってあげましょうか」

「え？　本当に作ってくれるんですか」

「たまには作らせていただくわ。いつもおせわになっているんですもの。香也ちゃんもかわいがっていただいているし」

「あら、いじめられてばっかりよ。整さんにかわいがられたことなんか、一度もないわ。いつもずけずけなのよ」

　ツネは笑って、

「いつもずけずけ？　じゃ、香也子といい勝負だろ？」

「まあ、おばあちゃんったらあ」

　さっきから黙って下を見ている保子を、香也子はちらりと見て、

「お母さん、お父さんに何か伝言はない？」

「ありませんよ、べつに」

　つとめて平静に保子は答えた。

「そうね、別段わたしが伝えることなんかないわね。時々会ってるんでしょうからね」

ツネが保子をじろりと見た。整が立ちあがった。

「ごちそうさんでした。じゃじゃ馬はぼくが送り届けます」

「おや、そうかい。気をつけて帰っておくれよ」

「大丈夫、ぼくは安全運転ですから」

　香也子はきちんとすわって、きょうツネに教えられた作法どおりにお辞儀をした。

「どうも長いことお邪魔しました。ごちそうさまでした」

　と、もとの姿勢に返って、

「おばあちゃん、上手にお辞儀できたでしょ」

　と、無邪気に笑って見せた。

起伏

花火

花　火

一

日が落ちても、むっとするほど暑い宵である。紺地に白菊模様の浴衣を着た章子(あきこ)が、玄関を出た。送りに出た扶代(ふよ)がいった。

「金井(かない)さんによろしくね」

ふり返って章子は、

「ええ。でもお母さんはつまらないわね。せっかくの花火大会だというのに、わたしもお父さんもいなくて……」

容一(よういち)は朝の出がけに、今日は遅くなるといったのだ。

「でも香也(かや)ちゃんがいるから」

「いっそのこと、お母さん一人ならのんきなのにね。じゃ行ってくるわ、悪いけど」

今宵は、金井と、近くのレストハウスで食事をしながら、花火を見る約束ができていた。

石ころの多い坂道を、章子はゆっくりと登って行く。ハマナスの花が、黄昏の庭に沈んだ色調を見せている。その傍の鉄砲百合が、逆に白く浮き出して見える。そんな近所の家の庭を見ながら、しばらくぶりに金井に会う喜びに、章子は胸をときめかせていた。

　と、家から百メートルほど歩いたところで、ばったり香也子に会った。香也子は白いワンピースを着、白いサンダルをつっかけている。章子は生理的に嫌悪を感じながら、それでも、

「お散歩？」

　と聞いた。

「そう。章子さんはどこへ行くの？」

「ええ、ちょっと」

「金井さんに会いにでしょう？」

「……………」

「隠したって、わかるわよ。このごろ金井さん、ばったりとうちにこなくなったわね」

「ええ、塾のほうが忙しいんですって」

「そうかしら。何かきづらいことができたんじゃない？」

「きづらいこと？」

　香也子はニヤニヤして、

「何も気にしないでいいって、わたしがいっていたと伝えてちょうだい」

「え?」

　香也子はさっさと坂を降りて行った。夕闇の中に紛れて行くその香也子を眺めながら、章子はふっとため息をついた。せっかくの、金井と会う喜びが殺がれたような思いがした。

が、章子は、

（香也ちゃんはでたらめをいう人だから）

　気にしまいとして、また坂を登って行く。が、やはり気にかかる。ぽつりぽつりと家の建っているこの丘の界隈も、今夜は花火大会とあって、人影が多い。どの家の前にも、子供たちが出ていて、玩具の花火などで遊んでいる。

　坂を登りきると、旭川の灯が無数にきらめいて美しかった。誰かが、

「宝石箱をひっくり返したようだ」

　といった言葉を思い出しながら、章子はレストハウスのほうに歩いて行く。

　橋宮家のある丘のあたりは、別荘地帯のような趣がある。が、このへんまでくると、大きなボウリング場や遊技場、ホテル、そして数多くのレストランや料亭があった。特にこれから行くレストハウスや、いま章子が歩いている傍のスカイパークは、何台もの観光バスが毎日のように客を運んでくるほどの大きなレストランだ。

（いやだわ、香也ちゃんて）

ふっと章子は、香也子はあそこで自分を待っていたような気がした。章子が浴衣に着替えた時は、確かまだ家にいたはずだ。香也子は猟犬のように鼻がきく。獲物のありどころは、香也子にはすぐわかるのだ。

「何も気にしないでいいって、わたしがいっていたと伝えてちょうだい」

香也子はそういった。あのひとことがいいたくて、香也子はあのあたりをぶらぶらと歩いていたにちがいない。章子は、またしても新たな憤りを覚えた。

もう半月以上も前のことだった。あの日は小山田（おやまだ）整（ひとし）も一緒に夕食を食べていた。その時香也子は、

「後妻が離婚したらどうなるの？　そのつれ子には、一文も財産をやらなくてもいいんでしょ」

と整に尋ねて、容一にきびしく叱られた。容一は本気であの時怒った。それは、扶代（ふよ）の手前仕方なく叱っているという叱り方ではなかった。

「お父さんの財産は、お父さんがしたいようにできるんだ。お前以外のみんなにやって、お前には一文も渡さないことだってできるんだぞ」

容一がそう怒鳴った時、さすがの香也子も顔が青ざめていた。

あれ以来香也子は、容一や扶代の前で、変に意地の悪いことはいわなくなった。章子に

いうしやみも数が少なくなった。たぶん、容一の耳にはいることを恐れて、香也子は用心しているにちがいない。あの時の容一の一言が、よほど香也子に応えたのだろうと、章子は扶代とも話し合っていたのだった。

それまで、章子は橋宮の家を出たいと切実に思っていた。あまりにも容一は、当然のごとくに香也子をかわいがり過ぎていた。章子は容一にとって、娘ではなかった。それはあくまで、扶代のつれ子という存在だった。叱りもしないかわり、かわいがるということもなかった。それがあの夕べから、少し容一の様子が変わった。

容一は香也子の前で、

「章子、お前は橋宮の姉娘だからね。恥ずかしくないだけのことはしてやるよ。ほしいものはなんでもいいなさい。家を建てたいのなら、そのことを金井君と相談して、お父さんにいいなさい」

とさえいってくれるようになった。扶代もそのことを喜んで、

「よかったわね、章子。でもね、お父さんがああいったからって、いい気になって家をねだったりしちゃいけないよ。ああいってくださるだけでたくさん」

と、涙をこぼしさえしたのだった。

章子も、容一には育ててもらっただけで充分だと思っている。自分も金井もまだ若い。

自分たちの家は自分たちが働いて建てればよいと思う。自分は香也子のような真似はしたくない。

　ところが、つい二、三日前、容一は扶代と章子を呼んでいった。

「神楽にいい土地があったよ。百坪ほどだが買うことにした。裏がすぐ美瑛川の堤防になっているが、陽当たりのいいところでね。どうだね章子」

「まあ、あなた、章子のために買ってくださったの」

「ああそうだよ。ま、今度金井君に会ったらいっておくんだね。家は十月までには建てれば建てられるが、来年のほうがいいかどうか、相談しておくといいよ」

　驚く二人を、容一は車に乗せて、わざわざ土地を見せに行ってくれさえした。

だから章子は、すぐにも家を出ようとしていたことを、恥ずかしく思ったものだった。土地や家がほしかったのではない。容一の心がうれしかったのだ。口先だけではなく、本当に家を建ててくれるつもりだったのかと、それがうれしかったのだ。そんなこともあって、今日金井に会う章子の心は弾んでいたのだ。

(気にしなくてもいいって、なんのことかしら?)

　レストハウスの、長い石の階段の下まできて、章子はほっとため息をついた。

二

きれいに拭きこまれたガラス越しに、遠くあがる花火が見える。今日は地元の北海道新聞社主催の、恒例納涼花火大会である。

二人は畳にすわって、義経鍋（よしつねなべ）をつつきながら、花火を見ている。するすると、青い光が夜空に立ちのぼったかと思うと、パッと大きく赤い火花が広がる。またするすると光があがり、黄色い火の粉が散る。

ガラス戸の外は吹きぬきの食堂になっていて、さらにその外にはビーチパラソルの下にテーブルがいくつも並んでいる。何百人もはいる店が、ほとんど満席だ。若い男女や、子供づれの一家や、老人夫婦や、客の様相もさまざまだ。どのテーブルでも、ジンギスカン鍋や義経鍋をつついている。

「百坪といったら、坪五万としても、もう五百万だねえ」

「そうねえ。あのあたり五万はするでしょうね」

「いや、もっと高いかもしれないですよ。しかしラッキーだなあ。新婚から新しい家に住めるなんて」

さっきから、金井の頬はゆるみっぱなしだ。が、章子は反対に心が沈んでいた。何か淋しい気がした。容一の好意を素直に喜んでくれるのはうれしい。しかし金井の場合、素直に喜ぶというより、この新築の話に飛びついたという感じだった。

（わたしの考えすぎだわ、これは……）

自分は容一とは生さぬ仲だ。だが金井には舅になる人なのだ。喜ぶほうが本当かもしれないとも思った。

「おお！　章子さん見てごらん。まさに光の饗宴だよ」

ガラス戸越しに遠く目をやると、地から噴き出すように、何十もの花火が空に向かって、花束のように放りあげられていた。

「ところで、何坪くらいの家を建ててくれるんだろうね、お父さんは」

「そのことは、わたしたち二人で相談しなさいって」

章子は皿の上からホタテ貝や鮭の切り身を鍋の上にのせる。モヤシやネギは真ん中の出し汁の中にいれる。義経鍋は真ん中に物を煮るへこみがあり、その周囲は広い鍔になっているのだ。

「ほう、じゃ、お父さんは四十坪でも五十坪でも、ぼくたちのいうままに建ててくれるのかい」

金井が乗り出した。

「そういうことになるかしら」

「じゃ章子さん、このさい遠慮しないで、なるべく大きな家を建ててもらおうよ。いくら大きいといっても、百坪の土地に百坪の家は建てられないけどねえ」

　金井は焼きあがった羊の肉をタレにつけながらいう。

「でも、わたしたち二人っきりでしょう。そんな大きな家をつくってどうするの」

「章子さん、建ててもらえばこっちのもんですよ。ぼくたちが住んで、五年もしたら売ったっていいでしょう。一坪でも大きいほうが高く売れますよ」

「まあ、売るつもりなの？　政夫さんは」

「いや、売るとは決めたわけじゃないけど、たとえばの話さ。何しろ、いま、坪二十万から二十五万はするでしょう。一坪多ければ二十万財産がふえるということでしょう」

「…………」

　章子は、ちらちらと空を縫うようにあがって行く花火を見つめながら、何か心の中を風が吹きぬけるようであった。

「うれしいなあ、ぼく。何せ、最初はそんな話何もなかったでしょう。いまだからいうけどねえ、橋宮容一の娘ともなれば、何か目に見える土産があってもいいだろうとは、思っていたんだよ」

章子は黙ってビールを注いでやる。

今夜、二人で花火を見るようにと、レストハウスにこの座敷を予約してくれたのも容一なのだ。その父親らしい心づかいを思えば、なんとしても金井の言い分にうなずくわけにはいかない。

「ね、政夫さん。でもね、わたし、お父さんに大きな家を建ててほしいなんて、ほんとうはいいたくないの」

「どうして？　章子さん。いまや橋宮容一は高額所得者ですよ」

「それはそうだけど……」

「じゃ何も、遠慮することはないじゃないか。しかも、ぼくたちから頼んだんじゃないんだよ。むこうからいってくれたんだよ」

「ええ……でも」

「せっかくむこうからいってくれたのにさ。小さな家を頼んだら、かえって悪いよ。まるでお父さんに資力がないと思ってるみたいで、わるいじゃないか」

「…………」

「そりゃねえ、君の立場から見れば遠慮もあるだろうさ。しかし遠慮は損慮だよ。ぼくがいうよ。とにかくね、章子さん。二十坪の家でも三十坪の家でも、むこうさんは建ててやったという思いは同じだからね。このさい大きく建ててもらわなければ、損だよ」

花火の煙が、風に吹かれて、夜空に白く流れている。花火はまだ、次から次に、赤、黄、青と、色さまざまにあがっている。石狩川にかかっている旭橋のあたりで、花火はあがっているのだ。あの上流も下流も、花火見物の人で、堤防はいっぱいに埋まっているにちがいない。その見物客の中で、自分のように淋しい思いで眺めている人はいるだろうかと、章子は思った。

（でも、わたしのほうがおかしいのかしら）

章子は小さい時から、なるべく容一に負担をかけまいと思って過ごしてきた。買ってもらったノートは、一行も書き残さなかったし、買ってもらった服も靴も帽子も、大事に手入れして使った。修学旅行に行った時も、容一からもらった小遣いを、半分も使わずに帰ってきた。が、考えてみると、友人たちの生活も、この金井とそうは変わっていないような気がする。友だちの多くは、結婚の披露も派手にし、これが最後の脛かじりだからといって、新婚旅行は外国にさえ行く者もいる。いや、結婚してからでも、月々の不足の分は、両親からもらうことに決めている人たちもいる。現代ではそれが普通で、自分のような人間は少ないのかもしれない。

（政夫さんばかりを責めてはいけないわ）

章子は金井を信じたいと思った。利に走る人間だとは思いたくなかった。

「なんだ、章子さん、食欲がないみたいだね。おいしいじゃないか、この義経鍋というのは。ぼくははじめてですよ。さ、じゃんじゃんおあがんなさい」

さすがに、章子の表情に気づいた金井は、機嫌をとるようにいった。

「あのぅ……政夫さん。香也ちゃんがね……」

章子が金井を見た。香也子の名を聞いた瞬間、金井の視線が泳いだ。が、次の瞬間、金井は、

「ああ、あのわがまま娘？　どうかしましたか」

「ええ、いまさっき、出がけにね。政夫さんに、あのことは気にしないでもいいって、なんだか意味ありげなことをいっていましたわ」

章子はじっと金井を見つめた。金井は自分でビールを注ぎながら、

「あのこと？　あのことって、なんだろう？」

と、章子を見た。

「わからないわ。何かきづらいことがあるはずだともいっていたし……。とにかく、気にしないでって」

「気にしてることなんか、何もありませんよ」

金井はビールを一気に飲んで、テーブルに置いた。

「あら、ほんと？」

「ほんとですよ。第一、あのわがまま娘のいうことをいちいち気にしていたら、橋宮家の敷居はまたげませんからね」

　いかにもおかしそうに金井は笑った。その笑顔に、なんの疚しさもなかった。

「まあ、じゃ、どうしてあんなことをいったのかしら」

「あんな娘のいうことを、いちいち気にしなさんな。おしゃべり人形がしゃべっていると思ったらいい」

「おしゃべり人形？」

「ほら、ボタンを押すとしゃべる人形があるでしょう。あれとおんなじですよ。深みも内容もない。でたらめな娘だ」

「あら、ずいぶん点が辛いのね。前はもっとほめてたじゃない？」

「そりゃ、かりそめにも君の妹ということにもなれば、悪口もいえないでしょう。しかし、会うたびごとに、あの娘には参っているんだよ。……こんなこと君が気にするからいわなかったけど、ぼくにキスを求めたことがあるんだよ、あの娘は」

「まあ！　ほんと？　そしてどうなすったの、政夫さん」

「相手にするわけないよ。君という決まった人がいるんだからねえ」

金井は再びビールをあおった。

三

腹にこたえるような、大きな花火の音である。部屋の中が、花火に青く光った。

「わたし、こんな近くで花火を見たのは、はじめてよ」

保子（やすこ）は食事の手をとめて、橋宮容一にほほえみかけた。テーブルには、ホタテの塩ふり焼きや、鮭のルイベなどが並んでいる。

「いいだろう、近くで見る花火も」

「ええ、いいわ。何か駆り立てられるような激しさがあって」

「花火は遠くから見てもいいし、近くから見てもいいものだよ」

容一はふっとニヤニヤした。

「あら、どうなすったの」

「いや、ほら、向こうに、高砂台（たかさごだい）に見えるレストハウス、あそこにも一組、花火を見ているのがいるんだ」

容一は扇風機のスイッチを強に切りかえた。

「あら、どなた？」

「当ててごらん」

　また花火が炸裂する。赤い光が火の粉のように空に散る。

　ここは石狩(いしかり)川沿いの小料理屋〝堤〟の二階である。堤防のすぐ傍なので、階下は土手の下だが、二階からは川を見おろせる。土手は人のジュータンだ。この〝堤〟の二階からは仕掛け花火もよく見える。こんな人出の多い時に、人中に出るのはいやだと保子はいったが、こういう時はかえって人目につかないと、容一は強引に保子を誘ったのだ。〝堤〟の庭には、ほどよい木立があって、土手の人からはその木立が目隠しになっている。

「まさか……恵理子(えりこ)と誰かというわけじゃないでしょうね」

　恵理子に親しい男の友だちができたということを、保子は思い出した。ツネは、ふだん恵理子に結婚をすすめてはいなかった。でき得るかぎり独りで暮らすようにといっていた。それが、恵理子にボーイフレンドができたと聞いても、咎めだてするどころか、理解のある態度を示しさえしたのだ。

　もっとも、そのあとで、

「一度、必ず家につれてきなさいよ」

　と、釘をさしてはいた。

「なんだ、恵理子にそんなのがいるのか。花火の晩に一緒に飯を食うような」

「さあ、恵理子だって、年ごろですからね」

「それもそうだ。年ごろじゃなくても、こうやって会っているんだからな」

容一はニヤニヤする。

「いやな方」

軽く睨んで、

「あのレストハウスで……どなた？」

「つれ子の章子と、その婚約者だ」

「そうですか」

いった保子の顔を花火が明るく照らす。観衆のどよめきが波のように聞こえる。

「おれが部屋を予約してやったんだよ」

「まあ、いいお父さまね」

ちょっとすねたように、溶けかかったルイベを箸で二つに切る。

「と思うだろう。しかしね、わしは商人だ。無駄な投資はしないよ」

「無駄な投資？」

銚子を持って、

「あら、もうありませんわ」

　と、保子は銚子をふってみる。

「いいよ、今夜はあまり飲まないことにしよう」

「どうして？　いつもの三分の一よ」

「いや、ま、飯にしよう」

　運ばれてあった飯びつをあけて、保子は茶碗に飯をつぎ、茄子とキャベツの浅漬を鉢から小皿に取り分け、

「章子さんとかいった？　その娘さん」

　と、話を戻した。

「うん……なあ保子、わしがあいつに高砂台のレストハウスを予約してやったのは、つまり足どめさ。連中は若いもんたちだろう。どうせ今夜は、この川原あたりまで見にくるはずだったんだ。万一、鉢合わせしないようにと思ってね」

「まあ、深謀遠慮ね、あなたは」

　額に滲む汗を保子はハンケチでおさえる。

「そりゃあそうさ。章子たちは、わしのおごりだと喜んでいるかもしれないが、こっちにすりゃあ安心料さ。どうせ食事が終わったら、男はうちに寄るだろう。すると扶代も家にいなければならない」

「まあ……悪い人」

笑った保子の手を、テーブル越しに捉えて、

「保子、今日はそういう苦心をして出てきたんだからね」

じっと保子の顔を見る。保子は目を伏せた。

手を離した容一は、飯を食いながら、

「おれたちは昔の中学生と女学生じゃないからね。いつまでもご飯ばかり食べているというわけにはいかないよ」

再び保子が目を伏せる。その二人を間断なく照らしていた花火の光が、すっと暗くなった。

「な、いいだろう」

ひどく大きな音がした。

「まあ、大きな音」

見上げた夜空に、また花火がいっぱいにひろがった。おおいかぶさるようだ。人々のどよめきがまたもや波のように押しよせる。

「それからねえ、保子。章子は十月には結婚するはずなんだがね。こないだ土地を百坪ほど買ってやったよ」

「……………」

「家も建ててやろうと思っている」

「それはよろしゅうございましたね」

　保子はちょっと冷たい声になった。

「なるべく大きい家を建ててやろうと思っているよ」

「………」

「なぜだか、わかるかい」

「結婚のお祝いでしょう」

「むろんそうさ。名目はね」

「名目は？」

「そうさ。万一だよ、扶代と別れても、章子名義の立派な家を建てておけば、あいつの行き場所があろうというもんじゃないか」

「まあ！　そんな……」

　外の花火がつづけざまに炸裂する。思わず二人は外を見た。花火大会のフィナーレだ。

「もともとは、わしとお前は夫婦だったんだからね。もとのさやにおさまって、しかるべきなんだよ」

「だっていまは、扶代さんと夫婦じゃありませんか」

魔法瓶から急須に湯を注ぎながらいう保子の声が明るかった。

「それがねえ、いつまで経っても、どうも夫婦という感じじゃないいんだなあ。やっぱり夫婦といえばお前さ」

差し出したお茶をごくりと飲んで、

「ああ、うまい。扶代のいれたお茶とはちがう。さすがにお茶のたしなみがあるよ」

「でも、あなた。扶代さんを口説くときも、おんなじようなことをおっしゃったんじゃない？」

「冗談じゃない。元の妻とまた一緒になろうとするのと、結婚する気もなくちょっと手を出したのとでは、まったくちがうよ」

「でも、扶代さんと結婚なさったじゃありませんか」

「それは、お前が出ていったからだ。やけのやんぱちさ」

いったかと思うと、容一はつと立って、保子の肩を抱いた。

「あら！」

ふっと保子は、香也子の小意地の悪い微笑を思い浮かべた。

四

ツネは、明るい電灯の下で、弟子の一人から贈られた『現代陶芸図鑑』をひらいていた。

「いつの頃から、人間は土いじりをはじめたんだろうねえ」

ツネはひとりごとをいう。

今夜は花火大会で、保子が出て行った。恵理子は二階でミシンをかけている気配がする。

図鑑には天目茶碗や、志野茶碗、香春焼茶碗など、天然色で載っている。やはり茶の湯の茶碗にツネは惹かれる。画面からひょいと取り出して手に持ちたいような、それらの茶碗を飽かずにツネは眺めている。

「板東さんが出ていないかねえ」

またひとりごとをいいながら、ひとりごとをいうのは老人呆けのはじまりだと、何かに書いてあったのをツネは思った。

「あった、あった」

またひとりつぶやいてページをひらく。板東陶光は旭川に大雪窯を持つ陶芸家である。

一九五頁には、椅子にかけた板東陶光のにこやかな顔が写っていた。ちょっと見た目には

四十代としか思えぬ背広姿である。上の半ページには、引出黒茶碗が写っていた。その茶碗をじっと見つめていたが、

「若いねえ、板東さんは。これじゃどう見ても、六十過ぎとは見えないよ。土をこねているから若いのかねえ」

　時々弟子たちに、胡桃を両手の中に持って、指先で磨くといいとツネは言われている。

「何せ、土も凍る旭川だからねえ」

　いつか板東陶光が、寒地での陶芸の苦心をツネに語ったことを思い出しながら、

「偉いよ、あの人は」

　やはりひとりごととなる。

　と、その時電話のベルが鳴った。

「どっこいしょ」

　かけ声をかけて立ちあがり、ツネは受話器の傍に行った。

「もしもし、藤戸（ふじと）でございます」

　少し若やいだ声になる。

「あら、おばあちゃん、わたし香也子よ」

　やや甘えた声が耳にひびいた。

「ああ、香也子かい。元気かい」

「元気よ。でも、今夜は暑いわねえ。わたしね、いまもうスリップ一枚でいるのよ」

「おや、行儀の悪い」

　ツネは眉をしかめた。香也子は笑って、

「きっと叱られると思ったわ。でもね、おばあちゃん、あんまり暑いから、おばあちゃんどうしてるかなあって思ったのよ」

「おや、まあ、それはありがたいこと。おばあちゃんはね、このぐらいの暑さは平気ですよ。体はお茶できたえていますからね」

「へー？　お茶って、体もきたえるの。わたしはまた、おばあちゃんも肌脱ぎになって、うちわを使っているかと思ったのよ」

「肌脱ぎになんか……そんなことは、死んでもしませんよ。ちゃんとおすわりして、本を読んでいましたよ」

「あら、偉いのねえ、やっぱりおばあちゃんは。じゃ、お母さん何してるの」

　お母さんという言葉に、微妙な変化があった。が、ツネはそれには気づかず、

「保子かい？　保子は久しぶりに花火を見たいなんて、子供みたいなことをいってね、出て行きましたよ」

「ふーん、よく人ごみの中に出て行ったわねえ。お姉さんと？」

「いいえ。恵理子はこの暑いのに、二階でミシンを踏んでいますよ」

「あら、じゃ、お母さん一人で？」

「女学校時代のお友だちと一緒ですと」

「ふーん……ね、おばあちゃん」

　ふいに香也子の声が低くなった。

「なんですよ？」

「うちのお父さんも、今夜はまだ帰らないわよ」

「へえー、会社が忙しいんだね」

「わからないわよ。誰かと花火でも見ているんじゃないのかしら」

　誰かを憚っている声だ。ツネはちょっと間をおいてから、

「そうかい。ま、時には花火もいいだろう。お父さんだって忙しいだろうからね、いつも」

　と、そ知らぬふうに相づちを打つ。

「あら、おばあちゃん。わからないの？　ちょっと鈍感だなあ」

「なんだか、この電話は遠いねえ。いま、なんていったの？」

「おばあちゃん鈍感だねえって」

「おばあちゃん、どっかへ行くって？　どこにも行きゃしませんよ。香也子、これからはね、電話をかける時は、たとえシュミーズ一枚の時でも、ちゃんとお洋服を着てかけるものですよ。それがお茶の心です」

ツネは電話を切った。そして時計を見あげた。もう何十年も前に買った、静かな音色の柱時計だ。時計は九時を過ぎていた。

「困ったもんだよ、香也子にも」

ツネは入れ歯を口の中でがくがくいわせて落ちつかせると、もとのところにすわって、何ごともなかったかのように、『陶芸図鑑』を再びひらいた。

と、階段をおりる足音が聞こえて、恵理子がはいってきた。恵理子はノースリーブの白いブラウスを着、濃紺のスカートから形のいい足を伸びやかに見せている。

「ごめんなさい。おばあちゃん。あしたまでに間に合わせなければならない仕事があったものですから。何か冷たいものでもおあがりになる？」

「そうだね、冷たいサイダーがいいね」

老眼鏡を取って恵理子をちょっと眺め、

「やっぱり。恵理子は恵理子だよ」

と、満足そうに微笑した。恵理子は素早く冷えたサイダーを二つのコップに注ぎ、盆にて運んできた。

「どうぞ。いま、電話がきてたわね」

「ああ、おいしい。やっぱり昔からの飲みものがいいね。このごろの飲みものときたら、なんだか妙な色をつけて、薬臭いのやら、毒々しいのやら、あんなのどこがうまいのかねえ」

のどのしわをのばして、一息にツネはサイダーを飲んだ。

「ほんとね、このごろの飲みものの中には、カルシウムを溶かすのがあるって、新聞に出ていたわよ」

「いやだねえ、じゃ何かい？　近ごろの人たちは、わざわざ金を出して、骨をとかしてもらってるのかい。それこそ骨までしゃぶられてるようなもんじゃないか」

ツネは笑ったが、ひょいとその顔をひきしめた。

「ねえ、恵理子。香也子から電話があったんだけどさ。あの子もかわいそうな子だねえ」

「あら、香也ちゃんからだったの」

「同じきょうだいでも、お前とは大ちがいだね」

「何かいってきたの」

「いやべつに、どうってこともない電話だけどね。やっぱりなんだね、父親一人じゃ……育てかねるのかねえ」

「おばあちゃん、サイダーは」

「いや、一杯でたくさんだよ。夜おしっこが近くなると大変だからね。ね、恵理子、やっぱり保子と橋宮が別れたのは、うまくなかったかねえ」

「わたしには、なんともいえないわ。だって、別れるときはよくよくの思いだったんでしょう。おばあちゃんだって、見るに見かねて引き取ったんでしょう？」

「そりゃねえ、あの時は別れたほうがいいと思いましたよ、おばあちゃんは。いまだって、そう思ってますよ。何せ、男って生まれ狡いからねえ」

「…………」

「まあね、場合によっちゃ夫婦は別れてもいいけど、子供たちがねえ」

「ねえおばあちゃん、わたしお母さんたちが別れた時、子供だったからよくわからないけど、夫婦って、やっぱり別れないほうがいいような気がするわ」

「そりゃお前、別れないですむなら、それに越したことはないよ。しかしねえ、女癖が悪くて、もう死ぬまでやまらないという男もあるからねえ」

「お父さんもそんな人だったのかしら」

「あの男も、そのほうですよ。わたしはそう睨んでますよ。保子は馬鹿だから……ひょこひょこ……」

と、あとは口の中で何かいい、

「恵理子、お前が好きだとかなんとかいう木工団地の人は大丈夫かね。男はみんな疑ってかかるといいよ、疑って」

ふっと考え込むツネの横顔に、めずらしく今日は老いの影があった。

爆音

爆音

一

恵理子は、旭川空港の柵にもたれて、飛行場を眺めていた。飛行場といっても、低い丘の原の中に、幅四十五メートル、長さ千二百メートルほどの滑走路が南北に伸びているだけだ。その滑走路も、恵理子の建っている柵からは、チモシーやオーチャードにおおわれた野原としか見えない。吹き流しが風に二、三本吹かれているだけで、飛行機の姿はない。

二週間の予定で本州に出張した西島広之が、十二時四十分着の飛行機で、今日帰旭する。

西島からは、三日おきぐらいに葉書がきていた。高山、金沢、倉敷、京都と、西島の行き先は、民芸の盛んな街ばかりだった。葉書はどれも簡潔だった。太い万年筆で、どれもほんの五、六行しか書かれていなかった。

〈今日は倉敷にきました。もう一度きてみたい街です。ゆっくりと、誰かと語り合いながら、歩いてみたい街です。美術館の近くに、おいしいソバ屋がありました。旭川の名人傍のソバを思いました。お元気でしょうか〉

〈高山には、これで五度目です。幾度きても、新しい発見のある街です。細かな雨が降って

います。細かな雨の似合う街です。旭川も暑いのでしょうね。特に二階は〉
〈京都の夏は、滅法暑いですね。昨日は奈良を回りました。東大寺で、あなたによく似た人が、鹿にせんべいをやっていました。どきんとして、あとでひとりで笑いました〉
などというその葉書を、恵理子はハンドバッグに入れていまも持っている。さりげない文面ばかりだが、西島のあたたかさが恵理子の胸に流れこむ。

西島のいない二週間は、長い二週間であった。その間、恵理子はずいぶん以前から、西島とつきあっているような錯覚を覚えていた。一年も二年もつきあっていたような、そんな心持ちだった。人の心が歩み寄るのは、なんと早いものかと、恵理子はふしぎに思う。

（お友だちのことは、何も書いてくださらなかったけれど……）

白血病だという西島の友人のことが、恵理子の心にいつもかかっていた。鈴村というその友人の妹、貴子と西島との縁談はどうなったのか。

（もし、その人と西島さんが結婚したら……）

思っただけで、恵理子は足もとから力のぬけていくような気がした。ついこのあいだまでは、まったく未知の人だった西島が、恵理子にとっては、もはやなくてはならぬ人になっている。

恵理子は柵のすぐそばの、あじさいの植え込みに目をやった。誰かがあじさいの花言葉は妖婦（ヴァンプ）だといった。七度色が変わるからだという。恵理子は何か不安な思いであじさいを見つめる。人間の心の移ろいやすさは、数々の文学を生んできた。自分だけは心が変わらぬとは、誰もいえないのだ。いま、西島が自分に関心をもっていることは確かだ。が、それはいついかなる理由で変わっていくか、わからないのだ。

白い帽子のつばを上げて、恵理子は空を見上げた。入道雲の峰が日に輝き、今日も旭川はじりじりと照りつけて暑い。旭川の夏は雨が少なく、暑い日がつづく。今日も三十度はあるのではないか。恵理子はターミナルのほうに歩みを向けた。白いスーツが恵理子をいっそう清潔に見せている。

狭いロビーには、客がごった返していた。空席待ちの、黄色いリュックを背負った若者たちも、何人か一隅にいて、いかにも観光シーズンらしい賑わいである。飛行機への入り口と出口が並んでいて、搭乗客のほかに、見送り客と出迎え客が、次第に混み合ってくる。

と、その時、恵理子は橋宮容一（はしみやよういち）の姿を見た。声をかけようとして、恵理子はためらった。もしや容一の妻がきていないものでもない。声をかけて、容一に迷惑を及ぼしてはならないと思った。どれが容一の妻か、まだ会ったこともない恵理子にはわからない。恵理子はじっと容一を見つめながら、ふっと淋しい気がした。自分の父に、なんの気がねもなく話しかけることのできない立場を、淋しく思ったのだ。

ている。

案の定、容一の傍に、ふくよかな和服姿の女性が寄って行った。その傍に若い娘も立っ

(あれが章子さんかしら)

恵理子は、さりげなく売店のほうに遠ざかって行く。扶代にも章子にも、一歩引きさがって生きている人間のつつましさを恵理子は感じた。

(きっと香也ちゃんもきているわ)

香也子に見つかってはならないと、恵理子は狭いロビーを見まわした。かくれようにもかくれる場所のない狭さだ。外に出ていようかと思った時、不意に恵理子は肩を叩かれた。

「あら、お姉さんじゃないの」

恐れていた香也子が、いつの間にかうしろにきていたのだ。

「あら、香也ちゃん」

香也子は、淡いピンクのワンピースを愛らしく着ていた。バッグも靴も淡いピンクだ。

「わたし、ほんとうはさっきからお姉さんを見ていたのよ。お姉さんったら、気がつかないで、お父さんのところばかり見ているの。おかしかったわ」

「まあ、香也ちゃんたら」

「お姉さんも、お父さんをお見送りでしょ?」

「ううん、ちがうわ」

「いいのよ、お姉さん。かくさなくても」

「ちがうのよ。わたしは……」

いいかけて、恵理子ははたと口ごもった。西島を迎えにきているといえば、香也子はまたうるさくつきまとうのではないか。今日は、恵理子は西島と二人っきりでいたかった。

「お姉さん。何も遠慮することないのよ。お姉さんは本当の娘ですもの。本当の娘でないのが見送りにきているのに、遠慮することないじゃないの」

香也子は声高にいう。あたりの者が香也子を見る。

「香也ちゃん、そんなこといっちゃいけないわ。わたしね、お迎えにきたのよ」

香也子の目がちかりと光った。

「まあ！　お迎え？　じゃ、西島さん今日帰るの」

仕方なく、恵理子はうなずいた。

「うわあ、うれしい。わたし会いたかったのよ。そうだ、わたし西島さんをお父さんに改めて紹介したいわ。お父さんもよく知っているらしいけど。ね、いいわね」

「さあ……西島さんがなんとおっしゃるかしら」

東京からの飛行機が着いても、折り返し発つまでには整備の時間が若干ある。西島を紹介する時間は充分あるのだ。

「西島さん喜ぶわよ。あなたのお父さんに一度ゆっくり会いたいって、前にいってらしたわ」

香也子はでたらめをいった。

「まあ、ほんと?」

「ほんとよ。わたしに凄い関心があるんですって」

香也子は楽しそうにいった。

「そう。でも、わたしがここにいることは、お父さんには内緒よ」

「どうして? お姉さん」

「お父さんの立場にも立ってみないと」

「そんなことといったって、お姉さんという存在は、むこうも知ってるのよ。隠し子じゃないのよ」

いうが早いか、呼びとめる暇もなく、香也子は容一のほうに人をかきわけて近づいて行った。

二

橋宮容一と扶代は、親戚の法事で、佐渡(さど)に行くということだった。西島と恵理子は、その容一を見送らざるをえない羽目になった。

爆音をとどろかせて、容一たちの飛行機が雲間に消えた頃、四人はロビーの外に出た。アスファルトが靴の踵に粘りつくような暑さだ。

「ねえ、お姉さん、うちの車に乗ってらっしゃらない?」

香也子は上機嫌だった。

「ありがとう。でも、ちょっと寄り道になるでしょう」

西島もうなずいた。

「あら、いいのよ。今日はこの車、いくら使ってもいいって、お父さんがいってんだもの」

「でも、香也子さん、ご迷惑かもしれないわよ」

と、章子がおずおずといった。章子は、さっきロビーではじめて恵理子に会った時から、心惹かれるものを感じていた。恵理子のまなざしが、いたわるように自分を包むのを、章子は感じた。香也子の姉とは信じられないほどに、恵理子の態度はやさしく、しかもどこか信頼できる感じだった。いつも、何をいい出すかわからない、香也子の気まぐれや不安定な態度とはほど遠いものだった。だからこそ、章子には恵理子の困惑をすばやく感じとることもできたのだ。

「あら、ご迷惑？　そんなことないわよ。章子さんは黙っててよ」

叱りつけるように香也子はいい、

「ねえ西島さん、ご一緒でもご迷惑じゃないわねえ」

と、西島に甘えてみせた。西島はニコッと笑って、

「それがね、香也子さん、迷惑なんです」

冗談めかしたが、はっきり答えた。

「まあ、ご迷惑ですって？」

香也子は顔色を変えた。

「ぼくは、恵理子さんに話があるんですよ。ぼくは、恵理子さんと二人っきりで、お話しするつもりだったものですから」

「あら、そう。じゃいいわ。人がせっかく親切に誘ってあげたのに……迷惑だなんて、ずいぶん失礼ね」

香也子はそういうなり、さっさとドアをあけて車に乗った。つづいて乗るはずの章子に

は目もくれずに、香也子はばたんとドアをしめた。中年の運転手が何かいった。香也子が短く答えた。運転手が気の毒そうに章子のほうを見たが、章子は手を横にふった。車は動きだした。

「ごめんなさい。妹が……」

章子はていねいに二人にあやまった。

「あら、あやまるのはわたしのほうよ、章子さん。香也子はいつもあんなふうにわがままなのね」

「いいえ、香也子さんは無邪気なんです……」

「大変ねえ、章子さんも」

そういってから、恵理子は、

「西島さん、ごめんなさいね。お帰り早々不愉快だったでしょう」

と、頭をさげた。

「いいえ、ちっとも。そんなことより、三人でアイスクリームでも食べに行きますか。むこうにいると、北海道のアイスクリームが無性に食べたくてね」

西島はさわやかに笑った。

「じゃ、わたしここで失礼します」

章子は再び頭をさげた。

「かまいませんよ。ご一緒しましょう。ね、恵理子さん」

「ええ、ほんとにご一緒しましょう」

恵理子もやさしく誘った。

「ありがとうございます。でも今度また、お目にかからせていただきます」

あくまでも章子は遠慮する。

「じゃ、今度、恵理子さんと三人で会いましょう。あんまり香也子さんにいじめられないようにね。こんなこといっちゃ恵理子さんに悪いかな」

西島はちょっと首をすくめた。

「いいえ。わたし、血がつながっているからって、えこひいきはしませんわ。少しばりばりと、叱ってくださる方がほしいと思いますわ」

章子はうつむいたまま二人の話を聞いていたが、

「お先にごめんなさい」

と、近づいてきたタクシーに手をあげた。二人は、去って行く章子の車を見送っていたが、車が坂のかげに姿を消しても、しばらく黙って立っていた。

「暑いなあ、旭川も。しかし旭川の暑さは、からりとしていて男性的ですね」

　車は他の客に取られて、一台もなくなってしまった。もうこの時間に、空港にハイヤーでくる客はない。西島は赤電話で金星（きんせい）ハイヤーを呼んだ。街からここまで、早くても二十分はかかる。二人は建物の陰に日を避けた。風がさわやかに丘を渡る。

「やっぱり北海道の風ですね」

　満足そうにいって、西島は、じっと恵理子を見つめた。激しさを秘めた熱い目だ。恵理子も西島を見つめた。

「なんだか、昔からのおつきあいみたいだなあ」

　つぶやくように西島はいった。

「あら、わたしも同じことを考えていましたわ。お留守の間……」

「そうですか。ぼくもです」

「幾度もお便りをくださってうれしかったわ」

「じつは……もっとたびたび手紙を書いたんですよ。このボストンバッグの底に入れてありますけれどね」

「あら、どうして出してくださらなかったの」

「出せないような手紙ばかりだからです」

　西島はちょっと赤くなった。恵理子の胸がときめいた。

「あの……お友だちのご病気はいかがでしたか」

「ああ、鈴村ですか。意外と元気でしたよ。例の妹が、一所懸命看病してました」

「それはよかったわ」

恵理子の目に、一度見た貴子のうしろ姿が浮かぶ。あの貴子が、西島を迎えて、うれしそうに話し合っている姿まで目に見えるようだ。

「鈴村が……やっぱり、貴子さんのことを頼むといいましたよ」

「で……なんとおっしゃったの」

「そんな話は、鈴村が丈夫になってから聞こうといいましたよ」

「まあ……」

「あいつはまだ、自分が白血病だとはむろん知りません。しかし、前にもいったように、命は短いと覚悟してるんですよ。でも、ぼくが、なおってから話をしようといったら、やっぱりうれしそうでした。あの時はたまらなかったなあ」

ちょっと西島は言葉を途切らせた。

「そうですか。そうでしょうね。でも、本当に白血病ってなおらないんでしょうか」

「いや、稀にはなおった話も聞きますよ。肺癌のなおった体験も、ぼくは読んだこともありますよ。四国の、確か合田まさみさんという方がその体験を書いていますよね。旭川でも、脳腫瘍のなおった人もいるし。まだまだ現代の医学は未知の分野が多過ぎますからね。不治の病などと、決定的なことというのは傲慢ですよ」

「鈴村さんもなおるといいですわね」

「秋には、休みを利用してまた見舞いに行くつもりですがねえ……奴は絶対死なせたくない」

その声に深い真実があった。

「ところで恵理子さん、ぼくは今度の旅で、すばらしい発見をしましたよ」

西島は、半分雲にかくれた大雪山(だいせつざん)を眺めながらいった。

「まあ、なんでしょう」

「なんだと思います？」

「むろん、お仕事の上のことでしょう」

「いいえ、あなたのことですよ」

「わたしのこと？」

「ええ。どこに行っても、あなたのような美しい女性はそうざらにいないということを、発見したんです」

西島はまた恵理子を見つめた。

「あら、わたしなんか……でも、そうおっしゃっていただくとうれしいわ」

素直に恵理子は微笑した。このあいだ西島が出発するときのように、空港には一人の客もいない。丘の下の稲田が今日はいちだんと緑が深い。その稲田をなびかせて、風が渡って行く。さらに畦（あぜ）を越えて、風は次の田を渡って行く。雲の影でも映すように、風の渡る道が見える。

「ねえ、恵理子さん。土曜日の夜は、いつも会っていただけませんか。毎日でもお会いしたいけれど、ぼくは当分、一週間に一度に決めたいんです」

「なぜですの？」

「ぼくたちは若いですからね。自分で自分を制することをしないと、感情に流されますからね」

恵理子はうなずいた。

「会わないでいるということも、時にはすばらしいことだと、ぼくは今度の旅で感じたんです」

「あら、わたしもよ」

二人は顔を見合わせて微笑した。

三

夕食を終わった金井政夫と章子は、テラスの椅子に腰をおろして話し合っていた。

午後から雲が厚くなって、風もない。いまにも雨のきそうな、湿気をふくんだ空気だった。

「これじゃ、雨が降るね」

向かいの山の深い緑を見つめていた金井が章子に視線を移した。

「そうねえ。せっかく香也子さん海水浴に行ったけど、雨かもしれないわねえ」

橋宮建材と名のはいったまるいうちわで、章子は金井に風を送っている。

一昨日、容一と扶代は佐渡へ旅立った。今朝は香也子が留萌に海水浴に行った。お手伝いの絹子は、一日泊まりで家に帰った。久しぶりに章子は、今日一日伸び伸びした思いで過ごすことができた。夕食には金井を招き、二人っきりですませた。広い家ぬちはしんとしている。三百坪の芝生の庭は、高い塀に囲まれて、二人の姿は外からは見えない。

「静かだねえ」

金井がそっと、章子の手を取った。

「ほんとねえ」

「結婚したら、いつもこうして、二人っきりでいることができるんだねえ」

今日の金井は、いつもよりやさしい。花火大会の夜の金井とは、別人のように落ちついている。あの夜の金井はいやだったと章子は思い出す。父の容一が二人のために百坪の土地を買ってくれた。新居も建ててくれるという。その話に金井は興奮して、できるだけ大きな家を建ててもらったほうがいいと、幾度もくり返していった。そんな金井に、章子は全くちがった顔を見せられたようで、寂しかったのだ。

だが今日の金井は、いつものように落ちついている。このあいだの金井は、本当の姿ではなかったような気がしてくる。章子は金井への信頼を再び取り戻すことができて、心が満ち足りていた。

そもそも最初から、金井は章子の信頼する英語の教師なのだ。英語塾の経営者であると同時に、金井は優秀な英語教師であった。

「金井先生は、ほんとのアメリカ人より英語がうまいみたい」

と、塾の女の子たちがあこがれのまなざしを向けていたのを、章子は覚えている。金井が明るい表情で、巧みに英語の教授をする。その明るさ明晰さに、心の沈み勝ちな章子は惹かれたのだ。塾には若い女性はたくさんいた。美しい女性も、聡明な女性もいた。その中で、最もめだたない存在だと、章子は自分を思っていた。その自分に、金井は特別の親切を見せるようになった。

「橋宮さん、気をつけて帰んなさいよ」

　最初は帰りぎわに、そう言葉をかけてくれる程度ではあったが、それでも、章子に向かっての言葉であった。たとえその程度の言葉でも、章子にはうれしかった。それがある日、授業中に、金井はみんなの前でいったのだ。

「橋宮さんのプロナンシエイションは実に正確です。それは、ぼくの発音を素直に、忠実に聞く姿勢があるからです。英語は耳で聞くより、心で聞くべきです」

　章子はうれしかった。いつでも、どこでも、自分は人目にとまる人間ではないと思っていただけに、喜びは大きかった。うつむいて赤くなっている章子に、金井はちょっと目をとめていたが、それから二、三日して、章子にいった。

「今日、ちょっとぼくの仕事を手伝っていただけませんか」

が、仕事は何もなかった。金井の車で、家まで送ってくれたのである。その途中、金井はしみじみといった。

「ぼくはずいぶん多くの女性を見てきていますけど、あなたのようなつつましい、控えめなひとは見たことがない。あなたはぼくの理想とする女性だ」

　章子は耳を疑った。自分のような者を、理想的な女性などといってくれる男性がいようとは、夢にも思わぬことだった。たとえ嘘にもせよ、その言葉は章子に生甲斐を与えた。

それまで、時折金井に近づいて行く女性を見たし、二、三のうわさも知ってはいた。だから、最初から、金井の言葉をまるまる信じたわけではない。ただ、自分にも注目してくれたというだけで、章子はうれしかったのだ。それが思いがけなく、金井から結婚の申しこみを受け、親たちに紹介するという、思わぬ方向に事は進んでいった。

「橋宮家といえば、金持ちだねえ」

とか、

「橋宮家の財産はどのくらいあるんだろう」

などと、金井は幾度かいったことがある。しかしそれは、橋宮容一の能力をほめ讃えているように章子には思われたのだ。

しかし、このあいだの花火大会の夜はちがった。あの時の金井は、章子には耐え難かった。

その金井が、今日は落ちついていてやさしいのが、うれしかった。

「ぼくたち結婚したら、いつもこうしていられるんだね」

金井はそっと、章子の片手を自分の両手の中に挾んだ。長い指だ。

「そうねえ、塾が終わったら、いつもこうして二人でいられるのよ」

章子も微笑を返す。

「ぼくが今日、ここにくることを、お父さんお母さんにはいってあるの？」

「お母さんにはいってあるわ。なぜ？」

「なんだか、誰もいないところにきて、泥棒猫みたいに思われれちゃ……」

「あら、泥棒猫なんかじゃないわ」

「いや、泥棒猫になるかもしれませんよ」

冗談めかして金井はいい、章子の手を強く握った。次第に夕闇が迫ってくる。

「家の中にはいろうよ。蚊が出てくるよ」

うなずいて章子は立ちあがった。と、その章子を、金井はいきなり胸に抱きよせた。金井の唇が章子のやや厚い唇に、激しく重ねられた。章子は素直に金井に抱かれている。

とその時、うしろで声がした。

「やっぱり、思ったとおりね。こんなことだろうと思ったわ」

ハッとして二人は離れた。紺と白の縞のワンピースを着た香也子が、妖しく目を光らせていた。

章子は顔をあげることができなかった。

「やれやれ、邪魔者がはいった」

金井は照れかくしに冗談をいった。香也子がヒステリックに笑っていった。

「金井さん、いつかのわたしたちの時は、整さんという邪魔者がはいったわね」

金井はさっと顔をこわばらせた。その金井の表情を章子は見た。

四

章子はテラスの戸を閉めながら、体が小刻みにふるえてならなかった。いまいった香也子の言葉は何を意味するのだろう。

(わたしたちの時は、整さんという邪魔者がはいった……)

いったい二人の間には何があったのか。香也子と金井は、自分たちのように接吻をしたということとなのか。金井が顔をこわばらせたのは、香也子の言葉が真実だからなのか。それとも、あまりにでたらめであるからなのか。

そう思った時、金井がいった。

「香也子さん、真夏の夜の夢って、知ってますか」

「なあに、それ?」

「シェークスピアですよ。知らなきゃ、今度お読みになったらいいでしょう」

章子はほっとした。『真夏の夜の夢』には、愛する者たちを引き裂き、愛し合わぬ者を愛させるいたずらの小悪魔が出てくる。暗に、その小悪魔のようだと、金井は香也子にいったにちがいない。

　三人は居間のソファーにすわって向かいあった。金井と章子は並び、二人で香也子に対する形になった。香也子はいたずらっぽく笑いながら、

「ね、金井さん。あの、神居古潭でのことも、章子さんに洗いざらい、いいましょうか」

　一瞬、金井は香也子を睨みつけたが、

「神居古潭？　神居古潭って、なんのことです？」

　と、タバコに火をつけた。

「まあ、しらばっくれて。金井さんって、凄いのね」

「それ、なんのこと香也子さん」

　章子は改まった口調になった。

「聞きたいの、章子さん」

「聞きたいわ」

「いってもいい？　金井さん」

　金井は、タバコの煙を、天井にまっすぐ吹きつけるように吐いている。

「何をです？」

「あら、全部わたしにいってほしいの。金井さんあなた、神居古潭にわたしをつれてった夜のこと、忘れたわけじゃないでしょう」

「夜のこと？　ぼくが記憶しているのはね、香也子さん。ぼくが章子さんを訪ねてこの家にこようとした時のことですよ。あの時、あんたバス通りに待ち伏せしていて、ぼくの車に乗ったでしょう。雨の日だったから、乗せてほしいといわれれば、乗せましたよ、ぼくは。そしたらね、章子さん。まだ時間が早いから観音台（かんのんだい）のほうにつれてってくれって、香也子さんがいったんです」

「それで」

「ところが、その車ん中で、香也子さんがぼくにキスしてくれっていいだしましてね。章子さん、ぼく前にもいったでしょう」

「うそよ！　キスしようとしたのは金井さんよ」

「まあ、どちらがほんとうなの？」

「その時の証人が小山田（おやまだ）君ですよ。ぼくが困りきっているところを小山田君が助けてくれた。小山田君に聞いたらはっきりすることですよ」

「じゃあ、さっき香也子さんが邪魔がはいったというのは……」

「そうさ、その時のことさ。香也子さんは邪魔がはいったと思ったかもしれないが、ぼくのほうは助かったのさ」

「まあ！　金井さんて、相当の悪ね。あなた車ん中で、わたしを抱きよせていたでしょう？

整（ひとし）さんはちゃんとうしろの車からみていたわよ。聞いてみるといいわ」

　章子は黙って二人の顔を見た。金井のほうが落ちついている。

「じゃ、小山田君を呼んで聞いてみようか」

「それがいいわ。今日こそ金井さんという人がどういう人か、章子さんに教えてあげなくちゃ。ね、章子さん、金井さんはね、章子さんよりわたしのほうが好きだといったのよ。そしてね、わたしを手ごめにしようとしたんだから」

「手ごめ？　こりゃ驚いた」

　金井は笑いだした。

「あら、あれは手ごめじゃないっていうの。ぼくのいちばん好きな人は香也子さんだなんていって、あの神居古潭の川縁で、無理矢理ひどいことをしようとしたじゃないの」

「香也子さん、でたらめも休み休みいってくださいよ。ぼくには章子さんという大事な人がいるんですよ。結婚を前にして、どうしてあなたのような人に手を出すんですか」

「そう聞きたいのは、わたしのほうよ。あの時、トラックが二台やってきたから、あなたはわたしの体を放したのよ。でなかったら、何をされたか、わからないじゃない」

「それ、ほんとなの？　香也子さん」

　章子の声がふるえた。

「でたらめに決まってるじゃありませんか。ぼくがそんなことをする男かどうか、誰よりも章子さんがよくわかってるはずじゃないか」

「でたらめ？　でたらめは金井さんのほうじゃない？　章子さん、しっかりしなくちゃ駄目よ。金井さんはね、本当はわたしでも、章子さんでも、どっちでもいいみたいよ。全然信用できない人よ。神居古潭にわたしを引っぱり出したくせに……」

　その言葉を奪うように、金井はいった。

「神居古潭、神居古潭って、君はさっきからいっているけれどね。君と神居古潭に行った覚えは、全くありませんよ。章子さん、このひとはねえ、君とぼくを引き離そうとしているんですよ。君が幸せになることを、このひとは妬んでいるんだ」

　章子はうなずいた。香也子は確かにそういうところがある。香也子が金井を、

「お兄さん、お兄さん」

と、変になついていたのも、章子には不愉快だった。そういえばこのあいだ、父と母を飛行場まで送りに行った時の香也子の態度も、章子には不愉快だった。あの時恵理子は西島を迎えに出ていた。二人には二人の予定があるはずなのに、香也子は無理矢理自分の車に乗せようとした。西島がきっぱり断ると、香也子は憤然として、一人で車に乗って帰ってしまった。あの車には自分も乗るはずだった。その自分を置き去りにして、香也子は一

人で帰ってしまった。あれはよほど怒っていたからだろう。なぜ香也子は、二人の間に割ってはいろうとしたのか。それにはきっと、妬ましさがあったにちがいないと、章子は思い当たるのだった。

「香也子さん、わたし、金井さんを信じています。もう何も聞きたくないわ」

「まあ！　じゃ、わたしが嘘をいっているというの？」

「とにかく、わたしは金井さんを信じているの」

きっぱりと章子はいった。

「そう、じゃ勝手に信ずるといいわ。さぞかし幸せな家庭がつくれるでしょうよ。でもね、金井さん、わたし、あなたが神居古潭でわたしにしようとしたこと、パパにいうわよ」

「香也子さん！」

金井は動揺した。

「ほら、章子さん、見てよ。金井さんが顔色を変えたわ」

「当たり前ですよ。ありもしないことをいわれちゃ、誰だって迷惑ですからね」

「ありもしないこと？　もしありもしないことなら、何をいわれても平気でしょ」

「ああ、ぼくを信じている人の前なら、平気ですよ。しかし、お父さんは娘のあなたを、全くでたらめな人だとは思わないでしょうからね。いったい、ぼくと神居古潭に行ったというのは、何月何日のことです？」

「あら、忘れたの？　あのゲートイン旭川で、話をしてから、出かけたじゃないの」

「なるほど、あのあとぼくとあなたは神居古潭に行ったという筋書きになっていたわけですか」

　金井は笑った。

「あのお店で、香也ちゃんとお会いになったの？　金井さん」

「会いましたよ。ぼくは忙しくて、時間がなかったんだけど、その前の夜電話がかかってきましてね。困ったことができたって電話で泣いていたもんですから」

「どうして、そのことわたしに教えてくださらなかったの」

「そりゃね、ぼくだって、君の立場を考えますからね。香也子さんの親の問題なんか、いくら相談されたって、君にいわないほうがいいと思いましたからねえ」

　金井はニヤリと笑って、

「例のパウンドケーキの一件の頃ですよ。あの頃君は香也子さんに猛烈なアレルギー反応を起こしていた頃じゃない」

　さすが金井は、香也子の母の保子（やすこ）が章子の母の扶代（ふよ）を追い出そうとしていることや、容一と保子が親密になっていることを聞いたなどとはいわなかった。

「金井さん、じゃああなたは、ゲートイン旭川で話をしただけで、わたしと別れたっていい張るの」

　香也子は鋭く迫った。

「いい張るも何も、全然覚えのないことですからね。ぼくはあの日、父が体の具合が悪いというんで、すぐ帰るようにいわれていましたからね」

「あきれたわ。こんな大うそつき、見たことない。とにかくお父さんにいうわ。こんな大うそつきと結婚させていいのかどうか、聞いてみるわ」

　怒った香也子はソファーから立ちあがった。その香也子を見あげて、

「なんとおっしゃっても結構よ。誰だって、香也子さんより金井さんのほうを信ずるわよ。たとえお父さんが信じなくとも、わたしは金井さんを信ずるわ」

　章子はきっぱりといった。

五

　恵理子はツネと二人で、庭の草を取っている。ツネが草取りをする日は必ず晴れた日だ。晴れた日でなければ、取った草の根は枯れないとツネはいう。浴衣にたすきをかけ、姉さんかぶりをしたツネが、アララギのむこうで何かぶつぶついっている。恵理子はアララギのこちら側にいて、テッセンの傍の草を取っている。保子はお茶の菓子を買いに行って留守だ。もう十一時近いから、そろそろ帰ってくるだろう。木蔭から昼の蚊が、かすかな音を立ててとんできた。恵理子はぴしりと小気味よく蚊を叩いた。

「何だい、蚊が出たのかい」

　ひょいとツネがこっちを見る。

「そうよ」

「蚊はいやだねえ。昨夜も一ぴきいたばかりに、ちょっと寝そびれてしまったよ」

「あら、おばあちゃんが？　珍しいわねえ寝そびれるなんて」

　ツネが眠れなかったなどと聞くことは滅多にない。保子が眠れないというのは毎日のことだが、ツネは枕に頭をおくや否や、すぐに寝息を立てるのだ。

「そりゃあねえ、おばあちゃんだって、眠れないことはありますよ。何年に一度かはね」

「そりゃあそうね」

いいながらも恵理子は、ツネが眠れなかったのは蚊のせいではあるまいと思った。

このごろ急激に、わが家が以前のわが家ではなくなった。第一、保子の外出がむやみにめだつ。以前は、近所のマーケットにさえ、保子は行きたがらなかった。それがこのごろでは、マーケットにでも、都心の買物公園にでも進んで出かけるのだ。

恵理子は、このごろ母が買い物に出かけるたび、意外に時間がかかるのをみてとっている。そして、帰ってきた時の顔は、どこか表情に張りが出ているのだ。

（きっと、お父さんに電話をかけてきたのだわ）

恵理子はいつからかそう思うようになった。

もうひとつ保子の変化があった。保子は自分の潔癖性をなおそうとしていた。卓上にじかにおいた箸など、不潔だといって決して使ったことのない保子が、このごろは使うようになった。以前は必ず箸置きの上におくか、食器の上におくかしたものだ。以前は毎日建具の取っ手を消毒していたのに、このごろは一週間おきぐらいになった。

保子の変化とともに、恵理子自身も心の変化があった。恵理子の思いは、ともすれば西島広之に向けられていた。ひとりで何時間洋裁をしていても、恵理子は淋しさを感じることがなくなった。西島を思っているからだ。

そんな二人の変化を、ツネは淋しく感じているのではないだろうか。恵理子はかすかに胸の痛むのを感じた。

「ねえ恵理子、保子はなんであああ出歩くのかねえ」

思ったとおりだと、恵理子は草を取る手をとめ、

「いい傾向よねえ、おばあちゃん」

と、ツネを見た。

「そうかねえ、いい傾向かねえ……」

口の中で、ツネは何やらむにゃむにゃといった。猫という言葉だけが明瞭に聞こえた。

ツネは口の中でこういったのだ。

「まるで、さかりのついた猫のようだよ」

しかし、恵理子にはそれは聞こえなかった。

「猫がなあに？　おばあちゃん」

「猫？　猫なんていいやしませんよ。ねえ、恵理子、保子はこのごろ変わったねえ」

「そうね、お母さん少し明るくなったわね」

恵理子は次第に祖母のほうに寄って行く。あまり大きな声で話しては、隣近所に聞こえ

るからだ。

「明るいかどうかわからないけど、何だかふわふわして、いやらしいねえ」

「…………」

「橋宮とよりを戻しているんじゃないのかね」

「さあ」

「むこうには奥さんがいるというのにねえ。橋宮も橋宮だよ。保子と結婚していた時には、別の女に手を出す。別の女と結婚したら保子に手を出す」

額の汗を腕でぬぐったツネがいまいましそうにいった。

「おばあちゃん、それは思い過ごしよ。お母さんが外出するのは、少しおばあちゃんに代わって、仕事をしなくちゃと思ってのことよ。いつもおばあちゃん委せだったから」

「そうかね、そんな殊勝な気持ちかね」

ツネは、保子が橋宮と会っている確証はつかんではいない。ただ、親としての勘が鋭くはたらいているだけだ。

「そうよ。たとえお父さんと会うことがあったとしても、わたしと香也ちゃんのことの相談じゃない?」

「そうかねえ、保子はそんなしっかりした女じゃないよ。ありゃあ、わたしも育てそこねましたよ」

「…………」

「少し甘やかし過ぎたのが悪かったかねえ。どこか香也子に似てますよ」

「あら、香也ちゃんになんか……」

飛行場で会った時の香也子を思い出しながら、恵理子はいった。西島と自分を誘って西島に断られ、憤然として、ひとり車に乗って帰って行ったわがままな姿を、恵理子は姉らしい痛みをもって思い出した。

「そりゃあ、あの年で香也子と同じならどうします。あの香也子も、困った娘だね。おばあちゃん、おばあちゃんってよく馴つくけど、めんこいような、恐ろしいような孫だよ、あれは」

話しながら、ツネの手は素早く草をぬいてゆく。茶人として、庭の手入に年季の入った確かさがある。

「恵理子、ところでお前もこのごろ、少しそわそわしてますよ」

恵理子は顔を赤らめた。

「一度つれてくるっていっていたけど、なかなかつれてこないじゃないか」

「ほんとにつれてきてもいいの、おばあちゃん」

「いいともさ、おばあちゃんが人物を見てあげるよ。どうせ男なんか、みんななま狡いもんだけどね」

　ツネの持論が出た。

「そうかしら。男ってみんななま狡いかしら」

「そうですよ。結婚するまではチヤホヤしてくれますけどね。うちのおじいちゃんもいってましたよ。釣った魚に餌をやる馬鹿はいないってね。釣られた魚は骨までしゃぶられるだけですよ」

「じゃ、おばあちゃんは、いままで立派な男の人って見たことがないの」

「ありませんよ、立派な男なんか。男って者はね、金がほしい、地位がほしい、名誉がほしい、女がほしいですよ。いくら立派そうに見えてもね。ま、おばあちゃんの知ってるかぎりでは、女房にかくれてほかの女に手を出すのばかりでしたね。友だちのご主人も、近所のご主人もみんな似たようなもんでしたよ」

「まあ！　じゃ西島さんも同じかしら。でも、西島さんは違うわ」

「恵理子、みんなそう思って結婚したんですよ、女たちは」

「そうかしら」

「そうですよ。おばあちゃんだって、そう思っておじいちゃんと結婚したもんですよ」

　ふっと恵理子は、若かりし頃のツネの姿を想像した。祖母は昔から祖母ではなかったのだ。

そんな当たり前のことを、恵理子はいま改めて実感させられたのだ。

しかしツネの見てきた人生、ツネの生きてきた人生が、すなわち真理だとは恵理子には思えなかった。

「おばあちゃん、西島さんってね、凄く意志的なんだと思うのよ。すぐ近所に住んでらっしゃるけど、一週に一度だけ会おうっておっしゃるの」

「へえー、一週に一度ねえ」

「毎日会いたくても、その心をおさえることが大切だっておっしゃるのよ。会わないでいる日々も、大事だっておっしゃるのよ」

「ふーん、とかなんとかいって、ほかの女の子と別の日に会ってるなんてことは、ないだろうね」

「まあ！　おばあちゃんったら、いやねえ」

「ま、今度つれておいで。おばあちゃんが、どんな人物か見破ってやるから」

「じゃ、今日会ったら、いっておくわ」

「おや、今日がその会う日かい」

「そうなの。毎週土曜なの」

「会ってもいいけどねえ。テレビの真似なんかして、相手に体なんかさわらせちゃ駄目だよ。

男なんて、なま狡いからね。昔なら、お金を出して女郎を買ったもんだけどね、いまの若い男は、びた一文出さないで、素人娘を女郎扱いするそうだからね」

ツネは痛烈な口調でいった。恵理子は苦笑した。自分と西島は、まだ握手もしていないと、祖母に告げたい思いだった。

六

金井政夫は、橋宮建材の駐車場に車を停めて降り立った。どんよりと雲が垂れさがっていて、ひと雨きそうな気配だ。雲の上でジェット機の音がした。姿の見えぬジェット機を見あげながら、金井は持っていた茶の背広に手を通した。いま、バックミラーに映してなでた頭とネクタイに手をやり、深呼吸をすると、橋宮建材のビルの玄関に近づいて行った。

明るいクリーム色の四階建てのビルに、株式会社橋宮建材の金文字が壁に浮き出ている。間口三十メートル、奥行四十メートルの小型のビルだが、旭川の企業としては決して小さくはない。一階は建材陳列場となっており、片隅に事務室がある。事務室というよりは、一階に働く従業員のたまり場でもあり、受付でもあった。二階に事務室、社長室、応接室などがあり、三階から上は貸しビルになっている。

受付で名前を告げると、受付の若い女性は、愛らしい糸切歯を見せて、

「社長がお待ち申しております。ご案内いたします」

と、傍にいた事務員に目くばせをした。髪を背まで垂らした女子事務員がきびきびと出てきて、エレベーターの前に案内した。エレベーターは四階にあがっている。それが降り

てくるまでの間、金井は重苦しい気分をつとめてふりきろうとしていた。

今朝、突然、金井のところに橋宮容一から電話があった。

「ちょっと話があるんでね。午後一時ごろ三十分ほど時間をもらえないかね」

いつもと同じ調子の容一の声だったが、金井は内心ぎくりとした。午後の授業はあるにはあるが、他の教師に委せることができる。

電話の切れたあと、金井はすぐに、高砂台(たかさごだい)の章子に電話をかけてみた。

「君のお父さんから呼び出しがきたんだが、なんの用だろう?」

「まあ! お父さんから? ……たぶん、香也子さんがあのことを告げ口したのね。昨夜香也子さんは、お父さんの部屋に長いこといたようだから」

「困った娘だなあ。てんで話にならないよ。ま、そんなことなら、そのつもりで出かけるがねえ」

そうはいったものの、容一に詰問されることを思うと、憂鬱だった。

案内の女子事務員が社長室のドアをノックすると、中から明るい返事があった。

「金井様がおみえでございますが」

「ああ、どうぞ」

女子事務員はドアをあけ、金井を中に入れると一礼して出て行った。

三十畳ほどの、落ちついた部屋だった。壁も家具も茶色で統一され、ジュータンだけが深いグリーンだった。

「お邪魔いたします。いつも何かとおせわになりまして」

「いや、おせわになるのは、こっちのほうだ。ま、かけ給え」

パイプをくゆらしながら、容一は自分の椅子から立ちあがった。高砂台の自宅で会う時とはちがって、ここにいる容一は正しく橋宮建材の社長だった。たんなる章子や香也子の父親ではなかった。〝位負け〟という言葉が金井の胸に浮かんだ。容一は応接セットのソファーに腰をかけると、

「ひと雨きそうだね」

と窓を見あげていった。

「ハ」

金井はかしこまって容一の前にすわった。このあと、何をいい出されるかはわからないのだ。

「塾のほうはどうかね、評判がいいようだね」

ゆったりと足を組んだ容一の、その靴がきれいに磨かれている。

「ハ、おかげさまで」

「ま、上着を脱ぎ給え。よその人じゃあるまいし」

その言葉にほっとして、金井は少し気が軽くなった。秘書の笹ハマ子が冷たい麦茶を運んできた。ハマ子がしとやかに一礼して去ると、

「早速だがねえ、君、うちの香也子をどう思うかねえ」

「ハ!? 香也子さんですか。どう思うとおっしゃいますと?」

金井の予期しない質問だった。

「ま、一般的にいってだね、つまりなんだな、もし章子という娘がいなければ、結婚してみようかと思う気になるかということだがね」

「はあ」

金井はひと呼吸おいて、

「わたしには、香也子さんはちょっと荷が勝ち過ぎると申しましょうか、もったいないと申しましょうか……たいそうチャーミングなお嬢さんですが」

「なるほど、荷が勝ち過ぎるか。君はうまい言葉を知ってるね」

容一はニヤニヤした。まるまる金井の言葉を信用している目ではない。内心金井はあわてた。

「いえ……何しろ香也子さんは、才女ですから」

「才女？　才女はよかったね」

　麦茶をごくりとのんで、容一は笑い、

「このあいだは神居古潭までドライブをしたそうだね」

　と、金井の目をぴたりと見据えた。金井はさりげなく茶碗を手に取って視線をはずし、

「このあいだ、お宅に伺いました時、香也子さんも神居古潭の話をしていらっしゃいましたが、どうもそれが、何かぼくにはよくわからないのですが」

　話の後半は、しっかりと容一を見つめたままだった。

「なるほど。じゃ、神居古潭には行かなかった、ということかね」

「ハア。香也子さんは茶目ッ気があって、時々……」

　金井は微笑した。

「なるほどね、わかったよ。いやあ、あの娘（こ）はわたしも手を焼くじゃじゃ馬でしてね」

　容一は隔意のない笑顔を見せた。

　昨夜香也子は、金井が神居古潭で自分を手ごめにしようとしたことを、容一に告げたのである。まさかとは思っても、一応は確かめる必要があった。

「あの娘（こ）は母親が違うんでねえ。淋しいもんだから、時々いたずらをするんでしょうな。ま、堪忍してください」

いってから容一はふっと、いつか香也子がいった言葉を思い出した。

「章子さんより後にお嫁に行くなんて、わたしいやよ。わたしに魅力がないみたいで」

単純な香也子は、まだそんなことを考えているのかもしれぬと、容一は思った。香也子のいうことを全面的に信用してはならぬと思いながらも、つい真に受けてしまったと、容一は苦笑した。

「あんな娘だがねえ、ま、あまり気にはとめずに、適当につきあってくださいよ」

「いえ、こちらこそ」

金井は体中の緊張がほぐれていく思いだった。

「ま、結婚は早いほうがいいのだがねえ。十月といっていたのが、十一月に延びたようだが……」

「ハ、どうしても十月の研修旅行に引っかかるもんですから」

「そうだってねえ。ま、とにかく章子は早く家を出たくてじたばたしているようだからね」

容一は豪快に笑った。

爆　音

渦巻

渦　巻

一

「お父さんったら、ひどいわ。プールをつくってくれるって、今年も忘れちゃって」

　芝生におかれたデッキチェアーに、香也子（かやこ）はすらりとした肢体を投げかけていた。傍には誰もいない。八月の陽がさんさんと降りそそぐ。前庭のほうで、犬の鳴き声がした。郵便でもきたのだろうと思いながら、香也子はひとり、

「フフフ……」

　と笑ってみる。

　このごろの、章子（あきこ）の暗い表情が、香也子を喜ばせているのだ。世界中の人が、自分より不幸であることを香也子は願っている。つまりこの世で、自分がいちばん幸せであってほしいのだ。

　金井（かない）との結婚が決まって以来、章子の顔には、隠しても隠しきれない喜びがあった。その喜びの色が、このごろは消えてしまった。章子がぼんやりと庭に佇んでいたり、飲みかけの水を黙って見つめていたり、台所の水道を流しっ放しにして、いつまでもぼんやりと

立っていたりする姿を見ると、香也子はぞくぞくするほどうれしかった。そんなにたやすく人間は幸福にはなれないのだと、いってやりたい気がするのだ。

（とにかく、効果があったわ。金井さんがわたしを手ごめにしようとしたことをいったのは……）

香也子は椅子の上で寝返りを打つ。露出された背が小麦色に輝いている。少し大きなホクロが一つ、右の肩胛骨のあたりにあるのが、かえって魅力的だ。

「わたしは金井さんを信じます」

香也子が神居古潭（かむいこたん）でのことを暴露した夜、章子はきっぱりと宣言した。が、その確信はぐらついたらしい。

（勝手に信じてりゃいいんだわ。どうせ金井さんなんて、あの程度の人間なんだから）

神居古潭で強引に接吻しようとした金井を思い浮かべながら、香也子は鼻先で笑う。

「今度は、お姉ちゃんと西島（にしじま）さんの番よ」

香也子はちょっと眉根をひそめた。西島という青年は、どこか歯が立たないところがある。

（あの人には方法を変えなくっちゃ）

香也子はまばたきもせずに、考えはじめた。西島は、空港で香也子の申し出を断り、恵（え）理子（りこ）と二人で帰るといった。そのことに香也子は腹を立てている。ただでさえ、人の幸せをそねむ香也子だ。なんとしてでも、西島と恵理子の間はさきたいと思う。どのようにして人を傷つけ、人を不幸にさせるか。そう考える時が、香也子の人生では最も充実した時なのだ。餌にとびかかる時の猛獣の気持ちにも似ていた。そんな自分を香也子は、疚しいとも思わなかった。ひたすらに楽しいのだ。だいたいにおいて香也子は、人間が、他の人間の幸せを祈るなどとは、嘘っぱちに思われる。そんなに人の幸せを祈るものなら、第一、人の悪口などいわないだろうと思う。だが、香也子の知っているかぎり、人の悪口をいわない人間はいない。その悪口を聞いたなら、幾日も眠れないような悪口を、人々は平気でいう。

また、人が金を儲けたり、出世したりした時、父の容一だって、羨ましがったり、

「あいつはうまいことをやって」

とか、

「なに、運がよかったのよ。実力じゃない」

とか、よくいうのだ。

それでいて人々は、他人の幸せを願っているなどと、ぬけぬけという。

(みんなだって、わたしと同じよ。人の不幸を願っている人たちばかりよ)

香也子はそう信じて疑わない。人の幸せを願うということが、どんなことか香也子には

わからないのだ。

（わたしは正直なんだわ。自分に正直なのよ。だけど、みんなは嘘つきなんだわ）

香也子はいつもそう思っている。

容一だっていっている。成績のいい社員を取り立てたり昇給させると、みんなが必ずそねむという。容一はときどき、出張のみやげを社員に買ってくることがある。が、幹部たちは、

「なにも平社員にまで買ってくることはない」

と、拒んでいたと聞いたことがある。人が人に物をやるのさえ、

「そんなにまでしなくてもいい」

と、関係のない者が羨むのだ。そんな話を聞いている香也子は、人の幸せを願わず、人の幸せをこわそうとしている自分を、自分に正直な人間だと思っているのだ。

（どうやったらこわれるかしら、あの二人）

血を分けた姉とはいいながら、香也子にとって恵理子は許し難い存在なのだ。恵理子はしとやかで、優雅で、どう見ても自分より立ちまさって見える。少々の自分の意地悪には驚かない強さを恵理子はもっている。だから、なんとかして恵理子を泣かせてみたいのだ。

（第一、西島さんが嫌いだわ）

西島ははじめから自分を問題にしていないと、香也子は思い返す。旭山ではじめて会った時から、西島は香也子に関心を示さなかった。子供扱いにしていた。自分はもっと男性の目を惹くはずだと、香也子は思っている。だから西島にも腹を立てている。

(あの人は金井さんとちがうから、キスをしろなんて、いえやしないし……)

さすがの香也子も、手のつけようがない思いだ。

(整さんをお姉さんの恋人に仕立てて、写真でも撮ろうかしら)

これはいい思いつきだと、香也子は椅子の上に起きあがった。

小山田整を恵理子の家につれていく。その時、小さいときの香也子や、恵理子のアルバムを持っていくのだ。恵理子も整も、きっと珍しがって見るだろう。二人は肩を寄せ合い、頰も触れ合わんばかりにして、アルバムを見るにちがいない。その寄せ合っている顔だけを写したなら、二人はただうっとりと頰を寄せ合っているようにしか、見えないにちがいない。

(第一、整さんはお姉さんを好きなようだし)

香也子は、その写真を見た時の西島の顔を想像するだけでも楽しかった。それだけで、西島と姉の間が断たれるかどうかわからないが、西島の心を傷つけるだけでも楽しいと思う。

（そうだ、それにしよう）

心に決めて、香也子はデッキチェアーに仰向けに寝た。

白い雲がゆっくりと、東に動いて行く。思わず鼻歌を歌いたいような気持ちだった。

「香也子さん」

突然、扶代（ふよ）の声が近くでした。

二

ふり返ると、扶代と章子がビーチパラソルを運んできたところだった。

「暑いでしょう。この日ざしじゃ」

扶代がやさしくいいながら、ビーチパラソルを香也子の傍に立てた。香也子もビーチパラソルがほしいと思っていたところだった。が香也子は、

「あら、日光浴をしていたのよ」

と、やや迷惑そうにいった。扶代と章子は顔を見合わせた。が逆らわずに、

「アイスクリームでもほしくない？」

扶代はのんびりという。

「ほしくないわ」

香也子はいま、恵理子と西島の間に水をさそうと計画しつつあったのだ。それは香也子にとって楽しみのひとつだった。扶代と章子は、その楽しみの邪魔をしたのだと、香也子は露骨に不機嫌な顔をして見せた。だが、そんな香也子に、扶代はとうに馴れていた。

「ね、香也子さん、章子から聞いたんですけれどね、どうもわたし気になって……」

扶代は芝生の上に横ずわりになった。章子はじっと向かいの山を見つめたまま、香也子に目をくれようともしない。何かに耐えているような表情だった。

「気になるって何よ」

香也子はすらりとした足を組み替えた。

「金井さんと、神居古潭（かむいこたん）に行ったとかいう話だけど……」

「その何が気になるの」

「金井さんは行かないとおっしゃるし、香也子さんは行ったというでしょう？　どちらかが本当だわね」

重大なことを尋ねながら、しかし語調はいつものようにおだやかだった。この家に嫁（か）して以来、扶代の語調は十年一日のごとく変らない。

「そうよ。わたしが本当で、金井さんが嘘をついたのよ」

「そうですか」

「あら、そうですかなんて、失礼ね。じゃ、わたしが嘘つきで、金井さんのほうが本当だというの？」

「そうはいいませんけれど」

「そうはいわないけど、どうだっていうのよ」

ひらきなおった時、章子が鋭くいった。

「香也子さん、じゃ何か神居古潭に行ったという証拠があって？」

「あら、証拠がなきゃならないの？　人はいちいち、自分の行ったところに証拠を残してくるものなの？　冗談じゃないわ、馬鹿馬鹿しい」

「でも……たとえばよ、もし神居古潭に行って、香也子さんのいったとおりタクシーで帰ってきたとしたら、何タクシーに乗ったか、そのぐらいは覚えているでしょう」

「覚えちゃいないわよ。そんなこと。カッとなってたもの。かりにカッとなっていなくても、何タクシーに乗ったか、そんなことといちいち覚えているもんですか」

いらいらと香也子はいった。扶代と章子は、再び顔を見合わせてうなずき合った。扶代の頰に微笑が浮かんだ。

「わかりました。香也子さん。ほんとね。何タクシーに乗ったか、いちいち覚えていられないわね。ね、そうでしょう章子」

「でも、わたしなら、どこの会社の車に乗ったかぐらいは、いつも覚えているわ」

「へえー、つまんないこと覚えてるのね。なんのためにそんなこと覚えてるの」

「だって、いつどんなことで、それが必要になるか、わからないと思うの。たとえば忘れ物をしたって……」

「わたしは忘れ物なんかしないから、覚える必要はないの。とにかく、金井さんと神居古潭に行ったことは事実よ。あの人、とんだ嘘つきだわ。ね、小母さん。あの夜、金井さんは、わたしのこといちばん好きだっていったのよ。そしていやらしいことをしようとしたの。だから、神居古潭になど行かないなんて、でたらめをいい張ってるのよ」

「香也子さん！」

　きっとして章子は香也子を見つめた。

「あなた、そんなでたらめいって、何がおもしろいの」

「でたらめ？　何回いったらわかるのよ、章子さん。わたし、でたらめなんかこれっぽっちもいってないわ」

「香也子さん、金井さんはわたしの婚約者なのよ。そんなこと、香也子さんにするわけがないじゃないの」

「じゃ、そう信じていればいいわ」

「行きもしないのに行ったなんて、香也子さんって、ひどすぎるわ、少し」

　いつもの章子とはちがった。きついもののいい方だった。章子は必死だった。はじめてその話を聞いた夜、章子は金井を信ずるときっぱりといった。

　だがあの夜、一人になると、金井への信頼が揺らぐのを感じた。香也子のいうことは嘘だと思いながらも、まったく嘘だといいきれない一パーセントが残った。九十九パーセントは信じているつもりでも、一パーセントの疑いが、章子を苦しめた。

（もしや？）

と思うだけで、章子の胸は押しひしがれる思いだった。自分と婚約しながら、香也子をつれ出して、無理矢理体を奪おうと、本当に金井はしたのか。嘘だとは思いながらも、まったくは信じきれない疑いが残る。

それでいま、章子は、扶代とともに香也子に本当のところを確かめたかったのだ。

つくづく章子は、中傷の一言は大きいと感じていた。嘘だとは思いながらも、いったん耳にはいった言葉は、しだいに心の中でふくれあがるのだ。

「章子さん、じゃ、わたしが行かなかったっていう証拠がどこにあるの」

「…………」

「ないでしょう。わたしが行かなかったという証拠がないのに、どうしてわたしを責めるのよ」

「だって金井さんが、行かないといっているわ」

「へえー。それが証拠なの。馬鹿ねえ、章子さんも、金井さんが行かなかったっていうの、当たり前じゃないの。わたしにうしろめたいことをしようとしたんだから」

確信に満ちた香也子の言葉に、扶代と章子は三度顔を見合わせた。

扶代はデッキチェアーに手をかけて、

「ね、香也子さん、行った行かないじゃ、水かけ論にしかならないのよ。わたしはね、香也子さんのいうことも、金井さんのいうことも、信じてるのよ。疑ってるわけじゃないの。だから困ってるのよ」

「適当なこといわないでよ」

「いいえ、適当なことじゃないのよ。ね、香也子さん、その運転手さんは、神居古潭からこの家まで送ってきてくれたわけでしょう」

「そうよ、それがどうしたの？」

香也子は起きあがった。

「その間に、何かお話をしたでしょう？」

「ああ、したわよ。男なんていやらしいわ。少しぐらい英語できたって、なんの価値もないって」

「そう、そしたら運転手さんは、なんと……」

「そうそう、思い出したわ。あの運転手さん、四十は過ぎてたわ。そしていってたわ。そうか、そりゃ太え野郎だ、いまから引っ返して、警察に突き出してやろうか、おれにも年ごろの娘がいるから、そんな野郎は捨てておけねえって」

「まあ、ほんと?」

「何しに嘘をいうのよ、こんなこと」

　吐き捨てるようにいう。

「そう、そうなの。じゃ、章子、香也子さんをこの家に送ってきた運転手さんを探すことはできるわよ」

「それは無理よ、お母さん。ハイヤー会社も、運転手さんの名前もわからないんだもの」

「そんなことありませんよ。日計表というのを運転手さんはつけてるでしょう。何月何日に神居古潭から、高砂台（たかさごだい）まで乗せてくれた運転手さんはいませんかって、一軒一軒尋ねればいいのよ」

「でもね、お母さん、旭川（あさひかわ）には運転手さんが二千人以上もいるそうよ、いつか聞いたことがあるけど」

「かまいませんよ。ハイヤー会社は二十軒ですからね。むろん、個人ハイヤーもあるけど。そう遠い昔の話じゃあるまいし、何月何日の何時ごろとわかれば、それほど手数はかかりませんよ」

　不意に香也子が声を上げて笑った。

「小母(おば)さん、意外と人をおどすの上手ね」

「あら、おどすなんて」

「いま、小母さんは、わたしに聞かすつもりで章子さんにいってたでしょう。こうやって調べればわかる、でたらめをいっちゃいけないって、わたしにいいたかったんでしょう」

「まさか。章子が心配しているから、調べ方をいったまでよ」

「調べてみるわ、わたし」

章子の声は緊張していた。

「どうぞどうぞ」

「何月何日の何時ごろのことだったの？　香也子さん」

章子はきめつけるようにいう。

「わたし日記なんかつけてないから、そんなことわからないわ。とにかく、そこのドライブインで金井さんに会った日だから、金井さんに聞いてみてよ。その日の、確か九時ごろだったと思うわ」

香也子は再び笑った。

三

近くの落葉松林で蝉が絶えまなく鳴いている。じりじりと暑いま昼だ。墓参で賑わう墓原のあちこちに、僧の読経の声がする。

今日は盆の十三日だ。いま、恵理子は、祖母のツネと、母の保子の三人で、観音台の霊園にきた。観音台は、香也子たちの住む高砂台と丘つづきにある。南東に十勝岳の秀峰が見え、その手前の丘の斜面には銀色の送電灯が日にきらめいている。

二万坪の霊園の真ん中を通る広い舗装路の両側には、マリーゴールドの花にまじって、真っ赤な雞頭が燃えるようだ。

「いつきても、ここは公園みたいだね」

ツネが保子と恵理子をかえりみて、

「昔はお墓ときたら、木がうっそうと繁っていてね。ひょいとふり返ったら、幽霊でも立っていそうな陰気なもんでしたよ」

「ほんとうね、この霊園にきたら、なんだか死んでも楽しいような気がするわ」

保子がいった。どの墓にもレンゲツツジが植えこまれていて、六月の花盛りには墓原いちめんが花園のようになる。

「まるでお墓の団地だね。貧乏人も金持ちもなくて、いいところですよ」

　ツネは上機嫌に歩いて行く。どの墓の敷地も一律に二坪で、御影石の墓石も和洋のちがいこそあれ一定している。

〝藤戸家の墓〟と書いた墓の前にくると、ツネがいった。

「おじいさん、またデートにきましたよ」

　保子も恵理子も笑った。笑いながら、恵理子は、ふっとふしぎな気がした。気丈なツネにとっても、夫との死別は、やはり大きな悲しみであったにちがいない。また母にとっても、実の父の死はいいがたい悲しみであったろう。それが何年か経たいまは、こんなに明るく笑いながら墓参ができるのだ。それが若い恵理子には何かふしぎに思われた。

　白と赤のグラジオラスの花を墓石の前の小さな壺に挿し、持ってきた青いリンゴやバナナ、そして饅頭などを墓前に捧げると、三人はかがんで手を合わせた。

　恵理子が目をあけると、ツネだけがまだ神妙に手を合わせ、口の中で何かぶつぶついっている。二、三分ほど経ってから、

「やれやれ」

　と、ツネが立ちあがった。保子が笑って、

「お墓参りをして、やれやれもないもんですよ、お母さん」

　恵理子はバッグからビニールの風呂敷を出して、墓石の前の芝生に敷いた。いつも墓参の時は、この墓の前で食事をとるのだ。

「どっこいしょ」

　かけ声をかけて、ツネはビニールの上にすわった。保子がいなりずしの重箱をあける。

「これでおじいさんの墓参りだから笑っていられるんですよ」

　いなりずしを一口頬張ってツネがいった。

「え？　なんですって？」

　保子が聞き返した。

「だってそうじゃないか。これで保子、お前にでも死なれてごらん。何年経っても涙の種ですよ。あの極道者のじいさんが死んだから、さばさばしてるけどね」

「そんなにお父さんは遊び人だったの」

　恵理子は黙って二人の話を聞きながら、魔法瓶からお茶を注ぐ。

「遊んだなんていうもんじゃありませんよ。わたしの知ってるだけでも、遊んだ相手は十人をくだりませんからね」

「いやねえ。じゃ、わたしにもその血が流れてるのかしら」

茶碗を持ったまま、保子は考える顔になった。

「さあね、流れているかどうか、自分の胸に手を当てて聞いてごらん。ねえ恵理子」

恵理子は視線をそらした。すぐ向かい斜面の畠に、板壁の古い農家が一軒ひっそりと建っていた。恵理子は何か淋しい気がした。その視線を戻した時、恵理子はハッとした。二つ三つ右どなりの墓の前に、若い女がうずくまって激しく泣いている。つれもいない。肩をふるわせて泣いているその姿に恵理子は胸を刺された。

夫を死なせたのか、わが子を死なせたのか、いずれにしても、ごく最近のことであろうと思った時、視界に思いがけない一団がはいってきた。

「あら！」

思わず驚きが声に出た。入り口のほうから、父の容一と、香也子、扶代、章子、そして小山田が歩いてくるところだった。母の保子と扶代が顔を合わせては面倒になる。とっさに恵理子は、香也子たちに背を向けた。

「おや、ナナカマドの実が少し黄色くなっているよ。秋にはここの紅葉がきれいなんだから」

ツネはゆっくりとあたりを見まわす。丘の下方に白樺（しらかば）の木立があり、その白い幹肌がいかにもやさしい。

保子は、いましがたツネにいわれたことが気になるのか、黙々といなりずしを食べている。

恵理子は、父の容一たちがきていることを、ツネと保子にいうべきかと、迷っていた。

確か橋宮（はしみや）家の墓は、ここではなかったはずだ。幼いころにつれて行かれたことがあるから知っている。高砂台の麓の大きな墓地にあるはずだった。墓石も大きく、敷地も広かった。大きなアカシヤの木と丈高い針葉樹に囲まれていたのを覚えている。

（お墓を移したのかしら）

いままで、一度もここで父や香也子と出会ったことはない。恵理子は落ちつかなかった。

「何を考えてるんですよ、恵理子」

ツネの言葉に、

「なんでもないわ」

「恵理子、おばあちゃんが死んだら、ちゃんとお墓参りにきてくれるかい」

「いやだわ、おばあちゃんが死ぬなんて。そんなこと考えるだけでもいやだわ」

恵理子は思わず涙ぐんだ。本当にこの明るいしっかり者の祖母に死なれたら、たまらないだろうと思う。

涙ぐんだ恵理子にツネはいった。

「まったく恵理子はやさしい娘だよ。同じきょうだいでも香也子とはちがうからねえ」

そういった時だった。

「あら！　藤戸のおばあちゃんよ、お父さん」

かん高い香也子の声が聞こえてきた。

「あれっ？　あの声は香也子じゃないの」

ツネも保子も、声のするほうを見た。

「おばあちゃーん」

香也子がうれしそうに手をふっている。その傍に、容一と扶代が、ばつの悪そうに立っているのが見えた。僅か十五、六メートルほどしか離れていない。

「うわさをすれば影だねえ」

ツネは低くいったが、愛想のいい笑顔で、容一のほうに頭をさげた。ツネにお辞儀をされては、容一もそのまま帰るわけにはいかない。どうやらこっちへやってくる様子だ。

「こうなると、立木のない墓も考えもんですよ。幽霊より始末の悪いのがやってくる」

いいながらツネは、重箱にふたをした。

四

「どうもごぶさたしてまして」

　香也子に無理矢理引っ張られてきた容一は、ツネにていねいに頭をさげた。

「ごぶさたはお互いですよ。そんなにしげしげと出入りされちゃかなわない」

「こりゃどうも」

　容一は頭をかいた。

「わざわざご挨拶はいたみいりますね、橋宮さん。あんた、奥さんをつれてきているんでしょう。のこのここんなところに顔を出すもんじゃありませんよ」

　ずけずけというが口に毒がない。香也子が、

「あら、つれてきて悪かったの？　おばあちゃん」

　と不満そうにいう。

「当たり前じゃないかね、香也子。いまの奥さんの身になってごらん。いやですよ、前の女房と顔を合わされるなんて」

「あら、そんなものなの。わたし知らなかった」

「香也子は子供だからねえ」

「でもさ、おばあちゃん。あっちはわたしの育ての親でしょう。わたしを生んだお母さんと仲よくしたっていいんじゃない？」

「そんなもんじゃありませんよ、香也子」

そこへ小山田整がやってきた。

「やあ、おばあちゃんの彼氏のお墓はここですか」

小山田は恵理子をちらっと見た。恵理子は黙礼した。

「叔父さん、章子さんたち待ってますよ」

さすがに小山田はそれぞれの立場をわきまえている。

「ああ、いま行くよ。ちょっとお参りさせていただいてからね」

「おやおや、お参りしてくれるんですか。おじいちゃんが喜ぶかどうかわかりませんけどねえ」

このツネの言葉には毒があった。

保子はさっきから、困ったように視線を伏せたままだ。が、いまのツネの言葉に、ちらりとうかがうように容一を見た。容一は逆らわず、

「ほんとですなあ。おじいちゃんにはなんと叱られてもしかたがない」

と神妙に手を合わせた。

「じゃ、失礼します。お元気で」

「あら、もう行くの、お父さん」

香也子が甘えた声になる。

「ああ、章子たちが待ってるからね」

「いいじゃないの、待たせたって。ほんとうは、お父さんがここにいるのが、当然だと思うのよ、わたし。みんな血がつながっているんだもの。ね、お母さん」

「さ、行こう行こう、香也子嬢。こちらにもご迷惑だからね」

追いたてるように小山田がいう。その小山田に恵理子はやさしさを感じた。

「いやよ。じゃわたしだけここにいるわ。

「香也ちゃん、そんなことするもんじゃないわよ。またあとで遊びにいらっしゃい」

さすがに保子がたしなめた。

「あら、どうしてここにいたら駄目なの？」

「決まってるじゃないか、香也子。あちらさんが気分を悪くしますよ」

ツネもいう。

「ふーん、そんなもんかなあ」

　香也子は鼻を鳴らしたが、

「あ、そうそう、ちょっとみんなで写真だけ撮らない？　せっかく一緒になったんだもの」

　と、ぶらさげていたカメラのキャップをとった。

「写真は駄目ですよ」

　ツネが大きく手をふった。

「あら、写真も駄目？」

「当たり前じゃないか！」

　容一は一喝するようにいい、ツネのほうに頭をさげると、

「じゃ、失礼します」

　と、その場を離れた。

「でもさあ、整さんだけはいるんならいいでしょう。ね、おばあちゃん」

「ああ、この人だけならね」

「じゃ、ちょっと並んで。お墓を中心にして。うん、おばあちゃんがお墓の右わき。お母さんがそのわき。お墓の左がお姉さん、その横が整さん」

　少し離れて、香也子はピントを合わせた。

「さ、チーズよ」

「なんだね、チーズって。このごろの若い人たちは写真撮るたびにチーズ、チーズって。チーズの宣伝じゃあるまいし」

　ツネがいった。

「まあ、おばあちゃん知らないの。チーズっていったらね、笑顔になるのよ」

「知ってますよ、そのぐらい。だけどね、チーズなんていわなくたって、笑えったら、笑いますよ」

「おばあちゃんには負けた。じゃ笑って。あら、おばあちゃん笑わないじゃないの」

「いくらおばあちゃんでも、お墓を抱いて笑えますか。こういう時は悲しい顔をするものですよ」

　思わずみんなが笑った。その瞬間を逃さず香也子はシャッターを押し、

「もう一枚」

　といって、再びシャッターを押した。あとの一枚は恵理子と小山田の二人だけを撮ったのだった。

「じゃ、バイバイ」

　香也子はもう見向きもせず駆けて行った。

「じゃ、そのうちにまたお邪魔します」

小山田も一礼して去った。

「まるで台風一過だよ」

再び重箱のふたをあけて、ツネが笑った。保子は扶代のほうをじっと見つめている。その視線に気づいて、ツネも扶代のほうを見た。上背のある扶代の姿が、遠目によくひきたっていた。

「うん、いい女じゃないか。おや、あの横にいるのが娘さんかい。おとなしそうじゃないか」

「そうね」

答えながら保子は、もうどこで会っても、あの扶代の顔は忘れることはあるまいと思う。

恵理子は、扶代や章子に会った空港でのことを、まだ保子に告げてはいない。なんとはなしに、橋宮の家と藤戸の家が、不気味に接近しつつあることを恵理子は感じた。何者かの糸にたぐりよせられるような、そんな不気味さであった。

「さぞかしおじいちゃんもびっくりしたろうよ、今日は。自分の娘を泣かした婿に、いまごろになって、突然お参りされたんじゃねえ」

ツネには、容一を許し難い思いがまだまだある。それは、たんに娘の保子と離婚したという理由からだけではない。どうやらいままた保子とよりをもどそうとしている気配が、ツネには許せなかった。よりをもどすのなら、再び結婚すべきだとツネは思っている。が、相手の女に落ち度があるわけではない。落ち度のない女に、別れようとはいえないはずだ。どうも容一のやり方がみみっちく思われる。いつもこそこそ本妻にかくれて動きまわっている。男らしくない男だとツネは思う。

さらに許せないのは、自分が腹を痛めて生んだ保子のあり方だ。保子は母親のツネに似ず、からりとしたところがない。ねっちりとしながら、自分の意志を通していく。いままで、あれほど口やかましく注意してきたのに、また容一に惹かれて、たびたび外で会っているらしい。それがツネには情けないのだ。

「ねえ、おじいちゃん。死んだら、いったい人間はどうなるんですかねえ。生きてる人の心を見通せるようになるんですかねえ」

ツネは保子に聞かせるつもりで、そんなことをいいながら、すしをつまんでいる。

恵理子は、いま見た章子の淋しそうな笑顔を思い返していた。このあいだ空港で会った時とは、人がちがったように章子は淋しそうだった。その淋しそうな笑顔を向けて、黙礼した章子に、恵理子も黙礼した。何か傍に寄って行って、言葉をかけてやりたいような思いだった。

「しかしねえ、死んでから人の心を見通せるようになったとしてもだねえ。なあんにも忠告してくれないんじゃ、おじいちゃんあんたは、役にたたない人だねえ」

ツネはまだいっている。保子はすしにも手をつけずにいった。

「いいわよ、お母さん。お父さんはもう死んじゃって何もいわないけど、お母さんがいつもバリバリ、わたしに忠告してくれるじゃないの」

「いくらいっても、馬の耳に念仏さ。このごろの保子ったら」

二人の話をきき流しながら、恵理子は、一度章子に会ってゆっくり話してみたいと思った。確か章子は、結婚が決まったと聞いている。が、あの顔は、婚約者のいる幸せな若い女性の表情ではない。

(香也ちゃんが……何かきっと……)

恵理子は吐息をついた。

五

「ここで会うとは思わなかったな」

橋宮容一はネクタイをゆるめながら、ちらっと扶代の顔を盗み見た。

扶代は笑って、

「仏様のお引き合わせですよ」

と、のんびりとした語調だ。なんのこだわりもないそのいい方にほっとして、容一は、

「仏様のお引き合わせか。とんだお引き合わせだなあ」

と苦笑した。

墓参の人たちが、入り口から霊園にぞろぞろとはいってくる。霊園の前には、墓参用の花が適当に束ねられて売られている。

「ねえ、叔母さん」

それを見て小山田がいった。

「なあに?　整さん」

「ここにきて花を買う連中は、なんとなくものぐさに見えますねえ」

「あらそうかしら」

「そうですよ。自分の家の庭で丹精した花を、墓に捧げるというのが本筋じゃないですか」

「でも、お庭のない家もあるわよ」

　扶代は、間借り生活をしていた時の自分を思い出しながらいった。

「なるほど、そういえば、ぼくも下宿だからなあ、庭はない」

　他愛のない会話が、容一の立場の悪さを救ってくれた。整のそんな心やりを、章子もまた敏感に感じとっていた。

　運転手がドアをひらいた。このごろ社長用に買い替えたばかりの新車だ。素早く香也子が助手台に乗りこみ、うしろに容一と扶代が乗った。

　が、章子は、

「わたし、少しぶらぶらしてから帰ってもいいかしら」

　と、誰へともなくいった。

「ああ、いいとも。整君に少し遊んでもらったらいい」

　ほっとしたように、容一がいった。容一も、この二、三日の章子の打ちしおれた様子が気になっていたのだ。香也子はふり返りもせずにいった。

「二人が仲よくしているのを、金井さんに見られたって、知らないわよ」

車は走りだした。

「どうしたの、章子さん？」

淋しそうに車を見送っている章子を見て、整はやさしくいった。

「ちょっと、このあたりを一人で歩きたいの」

「一人で？　ぼくがお伴しちゃいけない？」

「あら、ご一緒してくださるの？」

「だって、叔父さんがぼくに遊んでもらっていいといってたでしょう」

「だからご一緒してくださるの？」

「いや、なんだか、あなたの様子が気にかかるからさ」

本当は整は、叔父たち一家と別れたあと、恵理子の傍に戻りたかったのだ。恵理子の傍にいると、なんともいえない安らぎを感ずるのだ。が、妙に淋しげな章子の姿を見ると、そうもいってはいられない気がした。

「ごめんなさい、整さん」

章子は霊園の向かいの芝生にはいった。広い芝生の縁が日に輝き、その一隅に花時計があった。芝生につづいて、柏の木立の茂りが美しい。木立越しに子供たちの声が賑やかだ。木立のむこうは遊園地だ。猿や兎や鹿などもいるのだ。

二人は芝生の上を、肩を並べて歩いて行く。

「何かあったんですね」

「…………」

「またあのじゃじゃ馬に、意地悪をされたんじゃないの」

章子は立ちどまった。花時計の秒針が、するすると音もなくまわっている。

「すわろうよ、すわらない？　章子さん」

「ええ」

章子はハンドバッグからハンケチを出して敷いた。

「香也子のいうことになんか、いちいちかきまわされちゃ駄目だよ」

「ええ……でも」

「元気を出すんだよ。笑う門には福来るってね。明るさが明るさを呼ぶんだよ。陰気な顔には陰気な虫が寄ってくるってさ」

明るい声だった。章子はじっと、自分のグレーのスカートに目をやっていたが、思いきったように顔をあげた。

「ねえ、整さん。本当のことを教えて」

「本当のこと？」

「そう、本当のこと。整さんは、金井さんと香也子さんが二人っきりでいたところを、見たことがあって?」

整はちょっと章子の顔を見た。が、すぐに笑って、

「なあんだ、そんなことか。そんなことをくよくよしてたの」

「ねえ、見たことがあるの」

「あるよ、大ありさ。いつだったかなあ、ぼくが車で雨ん中をやってきたらさあ、ずっとむこうで香也ちゃんが金井さんの車に乗りこむところさ。車はいったんお宅のほうに行きかけたが、思いなおしたように、この霊園のほうにむかってさ」

「それで?」

張りつめた表情で、章子がうなずく。

「ぼくはね、ハハン、香也子の奴、金井さんに、むこうへ行けって、ねだったなって思ったからさ、ちょっといたずらっ気を出して、後を追ってみた。あの時は確かに二人っきりだったよ」

「それだけだったの、金井さんと香也ちゃんは」

「それだけさ」

「うそよ。二人はキスをしようとしたんでしょ」

小山田整は視線をそらした。緑の芝生の上を子供づれの家族が、あちこちに腰をおろしている。遊園地のほうに駆けて行く子供もいる。そぞろ歩きをしている若い二人づれもいる。ほっと吐息をついて、整はいった。

「参ったなあ。そこまで知ってるんじゃ」

「じゃ、やっぱり?」

「うん、しかしね。章子さんの考えているようなことじゃないよ。香也子の奴が、無理矢理キスを迫ったというのが、真相じゃないかな。金井君が困って、自分の体を窓際に押しつけていたからね。だからぼくが、クラクションを鳴らして、助けてやったのさ」

「まあ! やっぱり本当だったの」

「じゃ、この話は知っていたわけだね」

「ええ。でも、香也子さんは、金井さんがキスをしようといったと、いったのよ」

「冗談じゃないよ。香也子は小悪魔だからね。いうこともすることも、目茶苦茶だよ」

「じゃわたし、金井さんを信じていいのね」

「いいともさ。ぼくだって、あの時二人が合意のうえのことなら、野暮なクラクションなんか、鳴らさなかったからね。ぼくとしちゃ、月光仮面のごとく、彼に助けの手をのべたつもりなんだ」

「よかったわ」

うれしそうに、章子は整を見た。

六

章子は、俄にあたりの風景がバラ色に見えた。いままでくよくよしていたのが、馬鹿馬鹿しくなった。こんなことなら、もっと早く聞けばよかったと、ためらっていた自分が愚かに思われた。力を得た章子は、神居古潭のことも整に話してみた。腕を組んでうなずきながら聞いていた整は、章子の話を聞き終わると、苦笑して、

「あのやんちゃ娘にも困ったもんだ。もう取り合わないといいですよ」

「ええ、そう思うんですけど」

「まあなんといっても、同じ屋根の下にいるからねえ、妙なことをいわれれば気にかかるしなあ。ま、さっさと結婚するんですね」

「ええ」

うなずいたが、章子は顔をあげて、

「ね、整さん、わたし、口では香也子さんにかなわないの。だから、ちゃんとした証拠を握っていなければ、反論ができないの」

「だから？」

「だから、市内のハイヤー会社を片っ端から調べてみたいと思うの。あの神居古潭から、高砂台の橋宮の家まで、若い娘を乗せた運転手さんはいませんかって」

「馬鹿馬鹿しい。無駄ですよ」

「ええ、香也子さんがでたらめをいってることはわかるんですけど、だからこそわたし、ちゃんと調べたいんです」

「しかしねえ、章子さん、ハイヤー会社ってのは、物凄く忙しいからね。いちいち何十人もの日計表を調べるなんて、そんな暇はないんじゃないかなあ」

「そうでしょうか。それならわたし、ハイヤー会社に出かけて行って、日計表を調べさせていただくわ」

「ほう、章子さん、なかなか粘りますね」

　驚いて整は章子を見た。章子は恥ずかしそうに目を伏せたが、

「だって、わたしくやしいんですもの」

　と、声をうるませた。

「かわいそうになあ」

　整は、見るともなく入り口のほうを見た。と、ツネと保子が、恵理子とともに芝生にはいってくるのが見えた。

　ここは、墓参をすませた家族が、子供と楽しくすごせるように造られている。飛行機や鳥の形に刈り込まれたアララギが、芝生のあちこちにあるのもそのひとつだ。

　恵理子の姿を見ると、整は落ちつかなくなった。こんなところで、めったにゆっくりできることはない。だが、傍には章子がいる。章子の立場を思うと、じっとすわっているよりしかたがなかった。

　三人は花時計のほうに近づいてくる。整たちは花時計のすぐ傍にいるのだ。途中まできて、恵理子が立ちどまった。何かいって整たちのほうを指さした。ツネが大きくうなずき、同じ速度で歩いてくる。

「あら」

　気づいて章子が立ちあがった。整も立ちあがっていった。

「やあ、また会いましたね」

　恵理子はやさしい笑顔を章子にむけ、

「おばあちゃん、章子さんよ。章子さん、祖母と母です」

　章子をいたわるような声音だった。

「おやまあ、まじめそうな娘さんだこと」

　お辞儀をする章子に、ツネはお辞儀を返した。

「おとなしそうな方ね。香也子がおせわになって……」

保子は素早く一瞥（いちべつ）した。ツネは、

「おせわになっているだけならいいけど、いじめられていませんかね、香也子に」

「いいえ、そんな……」

あわてて首を横にふる章子を見て、

「ま、そのうちあの子も、少しは大人になるでしょうけどね、かんにんしてくださいよ」

と、ツネは花時計に視線をむけた。

「きれいなもんだね。誰が考えだしたことかね。整さん、あんた物知りだから、知ってやしませんか」

「おお、よく聞いてくれたよ、おばあちゃん。花時計ってのはね、スウェーデンのリンネという植物学者が作ったんだよ」

「へえー、偉いもんだね、整さんは。スウェーデンのリンネっていう先生がねえ。これでひとつ、物知りになりましたよ」

「でもね、おばあちゃん。植物学者のリンネが作った花時計は、これとはちがうんだよ。花の中にはね、決まった時間に咲く花が、何種類かあるんだよ。朝早く咲くもの、夕方に咲くもの、昼に咲くものなんてね。それを咲く時間の順に植えたものらしいよ、最初は」

「なるほどなるほど。それで、この花が咲いたから何時だの、この花が閉じたから何時だのって、昔の人は考えたわけだね。風流なもんですねこれは」

「ほんとねえ」

　保子も相づちを打つ。恵理子も、

「整さんって、ほんとになんでも知ってらっしゃるのね」

「なあに、こんなこと百科事典を引いたら書いてあることですよ。百科事典を引いても書いてないことが、実はいちばんむずかしいんでねえ」

　恵理子にほめられて、整はちょっと上気した。

「なるほど、百科事典にも書いてないことが、本当はむずかしい。いいことをいうよ、整さんは。ねえ、保子」

「本当にね。ほんとに知りたいことは、いったい何に書いてあるんでしょうね」

「お経の本かねえ。それとも聖書とかいう本かねえ」

　珍しくしみじみとツネがいった。

「さすがおばあちゃんだ」

　整はいって、

「おばあちゃんも、少しここで遊んでいかないかい」

「それがねえ、今日は保子と、よばれているところがあるんだよ」

「へえ、およばれですか」

「そうなんだよ。お弟子さんのご主人の三年忌なんでね。まったく精進のいい人だよ。盆の十三日に死ぬなんて」

「じゃ、ぼくの車で送りますか」

「それが、もうじき迎えにくるはずなんでね、何せね、妙な世の中になりましたよ。法事をホテルでやるんですからねえ。ね、保子」

　整はがっかりした。が、恵理子がいった。

「じゃ、わたし、整さんたちのお仲間入りをさせていただくわ。よろしいかしら」

「ちょっと困りますなあ、それは」

　整はうれしげに冗談をいった。

　やがて車が迎えに来、ツネと保子が去った。三人はぶらぶらと柏林のほうに歩いて行った。

「章子さん、いつかお会いしたいと思ってたのよ」

　やさしい恵理子の言葉に、

「わたしも、お目にかかりたかったんです」

　恥ずかしそうに章子は答えた。

「なあんだ、二人は前に会ったことがあったの」

　整が驚いていった。

「ええ、飛行場で。あの時はごめんなさいね、香也ちゃんが……」

　あやまる恵理子に、章子は頭を横にふった。

　恵理子と話をしていると、章子の気持ちまでやさしくなるのだ。香也子の無礼も、恵理子の前にいると、何かとるにたりないことのようにさえ思えてくる。

「いっちゃ悪いけどねえ、恵理子さん。香也ちゃんとあなたは、本当に血のつながったきょうだいかと思うよ」

「あら、どうして？　整さん」

「これはねえ、べつに悪口をいうつもりでいうんじゃないがね、やっぱり恵理子さんも知っていたほうがいいと思うから……」

「まあ、どんなこと？」

「きょうだいのことをいわれると思わないでくださいよ。いや、実はね……」

　かいつまんで、整は自分の見た香也子の性格を、順々と静かにいって聞かせた。

　恵理子は「まあ」「そんな」「まあ、なんというひどいことを」などと、短く相づちを打ちながら話を聞いていたが、神居古潭の問題になると、

「ごめんなさいね、章子さん」

　と、いくども自分のことのようにあやまった。

「というわけでねえ、恵理子さん。ぼくは思うんだけど、香也ちゃんってのは、やっぱりちょっと警戒したほうがいいと思うんだよ。いくら本当のきょうだいでもね」

「………」

「ぼくは恵理子さんが心配で、こんな話をしたんだけれど、悪かったかなあ」

「いいえ、ちっとも。うかがっておいてよかったわ。わたし、章子さんの幸せのために、できるだけのことをしたいと思いますし……」

　いいながら、ふっと恵理子は、西島と自分のあとをつけてきた香也子の姿を思い出した。猫のように足音も立てずについてきて、妖しく目を光らせた香也子の姿が変に恵理子を不安にさせた。

七

墓参の日から、章子は再び元気になった。香也子は、金井がけしからぬふるまいに出たようにいっていたが、整の話ではその逆である。香也子がでたらめをいっていたのだと思うと、それにふりまわされていた自分が愚かに思われた。神居古潭のことなど調べるまでもないとさえ、思うようになった。

（もう香也ちゃんのいうことなんか本気にしないわ）

芝生に水をやりながら、章子の顔は明るい。

「章子、金井さんからお電話よ」

テラスで扶代の呼ぶ声がした。

「ハーイ」

水道の栓をとめて、章子は駆けて行く。その姿を香也子が、二階の自分の部屋から、じっと見おろしていた。墓参の日以来、章子の様子が変わったのに、香也子はいち早く気づいている。

「きっと、整さんに何か聞いたんだわ」

香也子は腹だたしげに呟く。

「せっかく、金井さんとの仲がこわれたと思ったのに」

そういう香也子の手に、墓前で写した写真があった。恵理子と整が楽しそうに笑っている写真だ。むろん、祖母のツネや母の保子はその写真には写っていない。

香也子はふっと笑った。

(どこでこの写真を西島さんに見せようかな)

電話で呼び出せるような相手ではないと、香也子も心得ている。西島は金井とはちがう。

(そうだわ。木工団地のショールームにいって、西島さんのデザインの物を、何か買うことにするんだわ。このデザイナーに会いたいっていったら、すぐに呼んでくれるわ)

西島がどんなものを作っているのか、香也子は知らない。だが、ショールームで西島のデザインのものを聞けば、ただちにわかるだろう。

香也子のある友人の家には、家具にはいっさい既製品を使わずに、注文するところがある。椅子はどのデザイナー、タンスはどのデザイナーと、指定して作らせるのだと聞いたことがあった。

(そうだ。わたしも西島さんに、何か作ってもらうことにするわ)

むろん香也子には、大きな家具を買うほどの金はない。だが、注文するといって、デザインについて語り合うことはできるはずだ。語り合った結果、気にいらなかったといって断ってもいい。そしてその時に、さりげなくハンドバッグから、この写真を出して見せるのだ。

「あら、お姉さんの写真があるわ」

そういっただけで、西島は見たがるにちがいない。そこに、整と睦まじげに並んだ恵理子の姿を見て、西島は眉をひそめるだろう。

「凄く仲いいのよ、二人は」

そういってもいいし、いわなくてもいい。想像しながら、香也子は二人の写真にじっと目をやる。いつも馴れ親しんでいて、整をこんなに見つめたことはないが、なかなかいい顔をしている。いかにもあたたかい感じで、しかも知性がある。決して西島に負けはしないと思う。

(意外とハンサムなんだわ)

自分で写しておきながら、香也子はふっと、睦まじげな二人の姿に妬ましさを感じた。整と自分のほうが、ずっと親しい間なのだ。兄妹のようになんでもいいあえる。だが、こうして見ると、いかにも恵理子と整が親しそうに見えて、香也子はちょっと不機嫌になった。

窓から外を見ると、まだ章子は芝生に戻っていない。青い芝生の中に、水色のホースが長くくねって置かれてある。

（金井さんから電話だっていってたけど、なんの話かしら）

　香也子はそっと部屋を出た。

　章子は受話器を耳に押し当てながら、

「そうね、十勝岳（とかちだけ）と大雪山（だいせつざん）なら、わたしやっぱり大雪山に行って見たいわ」

　金井が、英語塾の夏休みの間に、山に登ってみようといってきたのだ。この五日ほど、金井は塾生たち十五、六人と、網走（あばしり）に近いチミケップ湖に、英語の研修会に行っていた。その研修会は一緒の宿に泊まり、その間じゅう、絶対に日本語を使ってはならないことになっている。すべての会話は英語である。だから、その会に参加できる塾生は、それほど多くはない。せいぜい三十人くらいだ。

「じゃ、大雪山に決めようか」

「でも、日帰りはできないでしょ」

「むろん、一泊や二泊はしなくっちゃ」

「じゃ、父や母に聞いてみないと……」

「え？　ぼくと行くんだよ、章子さん」

「……ええ、でも……」

「なるほどね。じゃ、聞いてみたら」

「二人っきりで行くの？」

「むろんそうさ。ほかの者がはいったんじゃ、意味がないよ」

　意味ありげな笑い声が、受話器にひびく。いつか香也子が「バターをなめたような声」

といった、なめらかな声だ。

「ねえ、話はちょっと変わるけど……」

「なんだい？」

「ほら、この前、香也子さんがいってたでしょう？　神居古潭でどうとかって」

　一瞬金井は押し黙ったが、

「……なんだ、くだらない。ぼくは神居古潭のことなんか、知らないっていったでしょう。

まだ信じられないの」

「いいえ、信じてるわよ。整さんだって、香也子さんがあなたに、キスを迫ったんだっていっ
てたし……」

「そうですよ、小山田君のいうとおりさ」

「でも、あのう、ゲートインで、会ったことは会ったのね」

「ああ、会ったよ」

「何日だったかしら」

「ええと、たしか七月十二日だったなあ」

「七月十二日?」

「そうだよ、それがどうかした?」

「ううん、どうもしないけど。ちょっと気になってたの」

べつだん、いまさらハイヤー会社を調べるつもりはなかった。が、ただ月日を聞いておきたかったのだ。

「じゃ、とにかく、あさってだよ。天気予報も、いいらしいからね」

「ええ、今日じゅうにお返事するわ」

受話器を置いた時だった。うしろで、香也子の声がした。

「ああ、七月十二日だった? 神居古潭に行ったのは」

香也子は縫いぐるみの白い熊を抱いて、階段を降りてきた。

八

夕食後、章子は自分の作ったアイスクリームを、盆にのせて運んできた。容一も扶代も香也子も、みんなそろっている。アイスクリームの横に、輪切りのパイナップルと、ウエハースが添えられている。

「おお、章子のお手製だね。こりゃあうまい」

容一はひとくち口にいれて、そう言った。

「どうもありがとう」

すわって章子も食べはじめた。香也子はつまらなそうに、何もいわずに食べている。

「あのう、お父さん。今日金井さんからお電話があったの……」

章子がちょっといいよどんだ。香也子の目がちかっと光った。

「うん、なんだって」

「あのう、一緒に登山をしないかって？」

「ほう、登山か。そりゃあいいねえ。どこにだね」

「大雪山を縦走するんですって」

「おお、縦走か。わしも若いときはよく登ったんだがなあ。しかし、お盆過ぎじゃ、山は寒くないかなあ」

「さあ、どうかしら」

「いや、この暑さつづきなら、大丈夫だろう。ま、行ってくるといいよ」

容一は愛想よくいった。時おり保子と会っている容一は、扶代や章子には、以前よりつい言葉がやさしくなる。うしろめたいからだ。

「あら、金井さんと二人で行くの」

アイスクリームをなめながら、香也子は探るような目をした。

「さあ、金井さんのお友だちも行くかもしれないわ」

「まあいいさ。どうせ十一月には結婚するんだ。二人であろうと五人であろうと」

容一は鷹揚に笑う。

「そんなのいけませんよ、二人っきりなんて」

扶代が眉をひそめる。

「馬鹿だなあ。いまどきの若い者はね、たとい百人で行ったたって、二人っきりになるもんだよ」

声をあげて笑う容一に、香也子がいった。

「じゃ、お父さん、わたしも行っていい？」

章子は顔を伏せた。冗談じゃない。香也子が行くのなら、行かないほうがましだと、章子は思った。

「ああ、行ってもいいよ。お前に大雪山を縦走する根性があるんなら、たいしたもんだ」

「あら、いまは登りも下りもロープウェーがあるじゃないの」

「冗談じゃないよ。ロープウェーを降りてからが大変なんだ。特に黒岳はね。きつい登りだよ。しかも、黒岳(くろだけ)から旭岳(あさひだけ)まで縦走するんじゃ、なあ」

そんなことは、旭川育ちの香也子は百も承知だ。最初っから、香也子は登る気はない。車に乗り馴れている香也子は、歩くのは苦手だ。ただ、自分も登山に行くといえば、章子がどんな顔をするかと思っただけだ。

「大丈夫よ。わたしだって若いんだから。ね、章子さん、一緒に行ってもいいでしょう?」

章子は困ったように、

「金井さんに聞いてみないと……」

「あら、金井さんに聞くぐらい、わたしが聞いてもいいわよ」

容一が見かねて、

「ま、香也子はおとなしく家にいるんだな。金井君と章子の間にはいって歩いても、つまらないぞ。人の恋路を邪魔する奴は、豚に食われて死んでしまえっていう、歌もあるじゃないか」

「あら、豚に食われて死んだら大変だわ。じゃやめとこう」

意外に素直な香也子の言葉に、章子はほっとした。扶代も安心したように、アイスクリームを食べはじめた。何を思ったか香也子は、

「章子さん、熊に食われたりしないようにね。とにかく、楽しんで遊んでらっしゃい。ああ、おいしいアイスクリーム、最高」

と、機嫌がよかった。

九

扶代は、レストハウスの近くで、果物を買った。このあたり一帯はレジャー地域である。いまも団体客を乗せたバスが、クラクションを鳴らしながら、幾台も坂道を登ってくるところだった。昼食をとりにくるのだろう。少し旅の疲れを見せた中年の女や、しきりにはしゃいでいる男の子などが、バスの窓に見える。バスの張り紙を見ると、どうやら九州熊本の人たちらしい。扶代はふと立ちどまって、バスの客たちをしげしげと見た。死んだ夫が、熊本に三歳まで住んでいたといっていたことがあった。

バスが何台か通り過ぎると、扶代はまた歩きだす。羊肉を焼く匂いの漂うスカイパークの裏を登って行く。虫のすだく声が聞こえる。登りきると、扶代は気を変えて、急に大雪山を見たくなった。スカイパークの敷地にはいると眺望がきく。猿のいる檻の前を通り、子供たちを乗せて走る小さな汽車の傍を通って、扶代は遊園地の端に立った。うすく雲をかぶった大雪山の青い山容が、今日はぐっと近く見える。あの雲のかかったあたりに、いま、章子は金井と二人でいるのだろうか。扶代はひどく淋しい気がした。

夫亡き後、女手ひとつで章子を育てた時期が、なぜか長かったような気がする。容一と結婚して以来、十年近い歳月が流れたのに、なぜかそれは、短く思われるのだ。容一と結婚したのも、章子を育てるためであったような気がする。その章子は、自分を離れて金井の妻になる。昨夜章子は、金井とどんな夜を過ごしただろうと、それが扶代には気がかりなのだ。

（山小屋には他の人もたくさん泊まるのだから……）

案外二人は、清い夜を迎えたような気もする。が、大雪山は広い。森閑とした山の中で、二人が情熱的に結ばれたとしても、ふしぎはないような気がする。喜んでやらなければならないと思いながら、なぜか扶代は喜べない。その喜べない理由に、あの墓参の日の保子の姿があった。保子は神経質だと聞いていた。橋宮と別れた十年間に、保子はきっとギスギスした人間になっているにちがいないと扶代は漠然と思っていた。が、扶代が遠くから見た保子は、決してそうではなかった。それどころかなよやかでさえあった。

保子は、容一と別れて十年経っているのだ。十年の月日が、保子をもっとみにくくしていても、ふしぎはないような気がする。何があんなに保子をなよやかにさせているのか。かつて覚えたことのない妬ましさを、扶代はあの墓で感じたのだった。

（もしや……橋宮とよりを戻していたら……）

思っただけで扶代は、体から力の抜けて行くような感じがした。少しずつくもっていく大雪山に目を向けながら、扶代はいま孤独だった。章子が金井と結婚したあと、扶代が頼れるのは容一だけなのだ。その容一が、このごろ微妙に変わっていくのを扶代は感じている。

そのひとつが、章子へのやさしさだ。容一は、章子が十二の時から、章子を養ってくれた。が、章子に細やかな関心をもつという父親ではなかった。香也子には何かと言葉をかけ、その体にふれる容一だったが、章子には、そうした態度を見せることは滅多になかった。といって、章子を邪魔にしたり、嫌ったりしたわけではない。たまには章子を膝にあげることがあったが、どこかぎこちなかった。それは、近所の子供にたいする態度とそう変わりない類のものであった。

そんな態度が、いまにいたるまで変わらなかったように思う。むろんそのことを、扶代は責める気持ちじゃなかった。扶代自身、香也子に対する気持ちと、わが子の章子にたいする気持ちとは、どんなに努力してもちがったものだったからである。が、このごろ容一は、章子の結婚の準備に、ひどく心を使っているように思われるのだ。容一が章子の結婚準備に心を使わない日は一日もない。家のこと、家具のこと、衣類のことから履物にいたるまで、容一は事細かに、扶代に指示した。墓から帰ってきた日の夜も、

「な、扶代、娘を嫁にやるってのは、物だけ持たせればいいのかな」

と、容一はいった。

「物だけ?」

　扶代はその言葉の意味を解しかねた。物だけを準備するのではなく、精神的な教育をもすべきだと、容一がいっているのかと思ったのだ。だが、ちがった。

「金だっているんじゃないか。やはり何かと、結婚した当座は金がかかるだろうからな」

「まあ、あなた、そんなにまでしてくださらなくても……家を建ててくださるだけで、けっこうですわ」

　扶代は感謝したのだったが、いまふっとそのことを思い出して、なぜか違和感を感ずるのだ。夫の事業がうまくいっているのは、わかっている。だが、自分たち親子にたいする近ごろの容一の心遣いを見ていると、何か無理をしているような、そんな感じすらするのだ。

　いま、扶代がそんな思いに捉われているのは、あの日保子に会ったからかもしれない。保子たちのほうに、香也子と容一が挨拶に行く姿を見ながら、扶代は不意に、取り残されたような淋しさを感じたのだ。

(まあ、いつのまにかあんなにくもってきて……)

　大雪山の二合めのあたりまで、厚い雲が降りてきている。

「章子」

　つぶやいて扶代は、じっとそこに立ちつくした。

（つづく）

〈底本について〉
この本に収録されている作品は、次の出版物を底本にして編集しています。
『果て遠き丘』集英社文庫　1978年4月30日
（1996年10月14日第46刷）

〈差別的表現について〉
作品本文中に、差別的表現とも受け取れる語句や言い回しが使用されている場合がありますが、著者が故人であることを考慮して、底本に沿った表現にしております。ご了承ください。

この「手から手へ～三浦綾子記念文学館復刊シリーズ」は、〝紙の本で読みたい〟という三浦綾子文学ファンの声に応えるため、絶版や重版未定のまま年月が経過した作品を、三浦綾子記念文学館が編集し、本にしたものです。

〈シリーズ一覧〉

⑴ 三浦綾子『果(は)て遠(とお)き丘(おか)』（上・下）　２０２０年11月20日

⑵ 三浦綾子『青(あお)い棘(とげ)』　２０２０年12月１日

⑶ 三浦綾子『嵐吹(あらしふ)く時(とき)も』（上・下）　２０２１年３月１日

⑷ 三浦綾子『帰(かえ)りこぬ風(かぜ)』　２０２１年３月１日

(5)三浦綾子『残像』（上・下）　２０２１年７月１日

(6)三浦綾子『石の森』　２０２１年７月１日

(7)三浦綾子『雨はあした晴れるだろう』　２０２１年10月１日

(8)三浦綾子『広き迷路』　２０２１年10月30日

(9)三浦綾子『裁きの家』　２０２３年２月14日

(10)三浦綾子『積木の箱』　２０２３年春頃刊行予定

ほか、公益財団法人三浦綾子記念文化財団では左記の出版物を刊行していま
す（刊行予定を含む）。

〈氷点村文庫〉

(1)『おだまき』（第一号第一巻）　２０１６年12月24日

(2)『ストローブ松』（第一号第二巻）　２０１６年12月24日

〈記念出版〉

(1)『合本特装版　氷点・「氷点」を旅する』　2022年4月25日

(2)『三浦綾子生誕100年記念文学アルバム　―ひかりと愛といのちの作家』　2022年10月12日

〈横書き・総ルビシリーズ〉

(1)『横書き・総ルビ　氷点』（上・下）　2022年9月30日

(2)『横書き・総ルビ　塩狩峠』　2022年8月1日

(3)『横書き・総ルビ　泥流地帯』　2022年8月1日

(4)『横書き・総ルビ　続泥流地帯』　2022年8月15日

(5)『横書き・総ルビ　道ありき』　2022年9月1日

(6)『横書き・総ルビ　細川ガラシャ夫人』（上・下）2022年12月25日

ミリオンセラー作家　**三浦綾子**

1922年北海道旭川市生まれ。小学校教師、13年にわたる闘病生活、恋人との死別を経て、1959年三浦光世と結婚し、翌々年に雑貨店を開く。

1964年小説『氷点』の入選で作家デビュー。約35年の作家生活で84にものぼる単著作品を生む。人の内面に深く切り込みながらそれでいて地域風土に根ざした情景描写を得意とし〝春を待つ〟北国の厳しくも美しい自然を謳い上げた。1999年、77歳で逝去。

MIURA AYAKO LITERATURE MUSEUM 三浦綾子記念文学館

www.hyouten.com

〒070-8007　北海道旭川市神楽7条8丁目2番15号

電話 0166-69-2626　FAX 0166-69-2611

toiawase@hyouten.com

果て遠き丘　上

手から手へ 〜 三浦綾子記念文学館復刊シリーズ ①

令和二年七月一日　私家版初版発行
令和二年十一月二十日　私家版改版発行
令和三年十月三十日　初　版　発　行
令和五年二月十四日　第　二　刷

著　者　三浦綾子
発行者　田中　綾
発行所　公益財団法人三浦綾子記念文化財団
〒〇七〇―八〇〇七
北海道旭川市神楽七条八丁目二番十五号
電話　〇一六六―六九―二六二六
https://www.hyouten.com
価格はカバーに表示してあります。
印刷所　三浦綾子記念文学館・株式会社あいわプリント
製本所　有限会社すなだ製本

 ISBN 978-4-9908389-3-5